ein Ullstein

Alexander Kent

Das Wasser
am Hals

Roman

ein Ullstein Buch

ein Ullstein Buch/maritim
Nr. 22647
Herausgegeben von J. Wannenmacher
im Verlag Ullstein GmbH,
Frankfurt/M – Berlin
Titel der Originalausgabe:
High Water
von Douglas Reeman,
erstmals erschienen bei
Hutchinson & Co. Ltd., London 1959
Übersetzt von Uwe D. Minge

Deutsche Erstausgabe

Umschlagentwurf:
Hansbernd Lindemann
Umschlagillustration: Silvia Mieres
© Douglas Reeman 1959
© Übersetzung 1991
Verlag Ullstein GmbH,
Frankfurt/M – Berlin
Alle Rechte vorbehalten
Printed in Germany 1991
Druck und Verarbeitung:
Ebner Ulm
ISBN 3 548 22647 7

Dezember 1991

Die Deutsche Bibliothek –
CIP-Einheitsaufnahme

Kent, Alexander:
Das Wasser am Hals: Roman / Alexander
Kent. [Übers. von Uwe D. Minge]. – Dt.
Erstausg. – Frankfurt/M; Berlin: Ullstein,
1991
   (Ullstein-Buch; Nr. 22647: Maritim)
   ISBN 3-548-22647-7
NE: GT

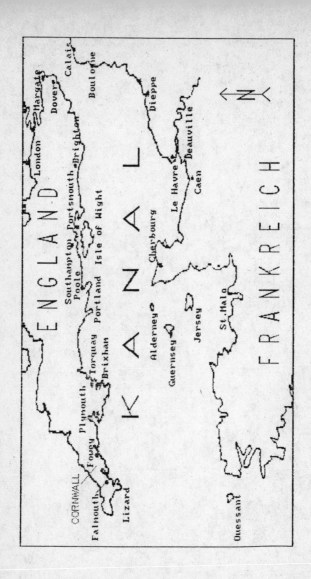

Vorwort des Autors

Man sagt, daß es für einen Schriftsteller am schwierigsten sei, sein zweites Buch zu verfassen. Wahrscheinlich liegt es daran, daß die erste Veröffentlichung *das* Buch sein mußte, vielleicht hatte er auch niemals damit gerechnet, daß es überhaupt veröffentlicht würde.

Es war ein leichtes für mich, meinen ersten Roman *Schnellbootpatrouille** zu schreiben. Damals hatte ich noch keine sonderliche Erfahrung und außer ein paar Kurzgeschichten noch nichts veröffentlicht. Niemand wies mich auf die Schwachpunkte hin oder erklärte mir die Geheimnisse eines richtigen Handlungsaufbaus. Wahrscheinlich war das ein Vorteil. Ich schrieb die Geschichte ohne Notizen und Nachforschungen, denn sie rankte sich um Ereignisse und Menschen, die ich während des Zweiten Weltkrieges selbst erlebt und kennengelernt hatte. Es war wie ein innerer Zwang, dem ich gehorchen mußte – und sei es nur, um meine Ruhe wiederzufinden.

Schließlich schickte ich mein Manuskript an einen Verleger, weil es mir in sein Programm zu passen schien. Damit war meine Arbeit erledigt, zumindest dachte ich das damals. Die erste Freude über die Nachricht, daß der Roman angenommen worden war, wich bald panischer Angst, als mich mein Verleger fragte, an welchem neuen Werk ich jetzt arbeitete. Ein zweites Buch? Daran hatte ich nicht mal im Traum gedacht.

So schrieb ich *Das Wasser am Hals*. Die Handlung ist in den späten fünfziger Jahren angesiedelt. Es war die Zeit, als viele Kriegsteilnehmer mit den Schwierigkeiten konfrontiert wurden, die auftraten, als sie wieder im Zivilleben Fuß fassen wollten. Viele hatten ihr Einkommen und alle Ersparnisse verloren, während sie versuchten, sich einer Welt anzupassen, die sie nicht mehr verstanden. Die schnelle, ausgefuchste Geschäftemacherei wurde von einigen als Fortsetzung des Krieges mit anderen Mitteln angesehen. So konnten sie für sich die Auffassung akzeptieren, daß Verbrechen nur ein Weg war, an das zu gelangen, was ihnen ihrer Ansicht nach rechtmäßig zustand.

Während ich diesen Roman schrieb, lebte ich selbst auf einem Motorboot und kannte die Versuchung, schnelles Geld zu machen, ohne

---

* Ullstein Buch Nr. 20798

lange Fragen zu stellen. Auch waren mir die Mangelerscheinungen nur allzu bewußt, die dem Kriegsende folgten.

Wenn sich das Thema dieser Geschichte von dem meiner anderen Romane unterscheidet, dann deshalb, weil ich damals nicht wußte, in welcher Richtung ich weitermachen sollte. Die Arbeit daran verschaffte mir die nötige Atempause, die ich brauchte, um zu entscheiden, ob ich eine neue Karriere als Schriftsteller beginnen sollte. Meine Leser halfen mir dabei, und dafür bin ich dankbar.

1972   A. K.

1

Die grauen Steinmauern des Hafens von Torquay standen schützend über den zahllosen kleinen Booten, die reglos im warmen blauen Wasser verankert lagen. Die Sonne brannte von einem wolkenlosen Himmel und schien jede Energie aus den Wanderern saugen zu wollen, die ihren Spaziergang nach dem Lunch absolvierten. Sie drängten sich bei der Suche nach Schatten schwitzend auf dem glühenden Pflaster. Die farbenfrohen Kleider oder bunten Badeanzüge der braungebrannten Mädchen kontrastierten heiter zu den weißen Hemden der verschwitzten Geschäftsleute aus den Midlands und den blauen Jakken der alten Fischer, die schweigend am Geländer lehnten und ihre Pfeifen pafften. Die hohen weißen Gebäude hinter dem Hafen flimmerten im Sonnenglast.

Obwohl der Sommer noch keineswegs vorbei war, waren sich alle einig, daß man sich an ihn noch lange erinnern würde. Zwar würde das Wasser bald vom kalten Atlantik abgekühlt werden und die leergefegte Promenade wieder allein den Fischern gehören, trotzdem lag über dem Badeort ein tiefes Gefühl der Befriedigung, das besonders von den Inhabern der Pensiónen und den reichen Hoteliers geteilt wurde.

Anscheinend war Philip Vivian der einzige, der diese Befriedigung nicht verspürte. Er drängelte sich schnell durch die Menge und übersah die auffordernden Blicke der vorbeischlendernden Mädchen. Tatsächlich war er nur mit einem Gedanken beschäftigt: daß er kurz davorstand, Bankrott zu machen.

Mit seiner ausgeblichenen Skippermütze, dem offenen Hemd und der Leinenhose war er ein attraktiver Mann. Sein großer, muskulöser Körper bewegte sich mit der natürlichen Leichtigkeit des Berufsseemannes, und sein tiefgebräuntes Gesicht verriet, daß er kein Feriengast war. Es war dieses Gesicht, das seine wenigen Freunde nachdenklich machte. Obwohl er noch jung war – 34 Jahre –, hatte es einen seltsam traurigen Ausdruck, und der wissende Blick seiner großen grauen Augen ließ ihn vorzeitig gealtert erscheinen. Unter dem Mützenrand quoll krauses braunes Haar hervor. Das markante Kinn und der feste Mund verrieten Furchtlosigkeit und Entschlußkraft.

Als er die Steinstufen erreichte, die zu den Liegeplätzen hinunterführten, löste sich eine der blaugekleideten Gestalten von der Mauer und packte seinen Arm. Ein Lächeln erhellte Vivians Gesicht, als er den alten Bootsmann erkannte. Arthur Harrap war ein Freund, der sich seinen anspruchslosen Lebensunterhalt mit Fischen und kurzen Ausflugsfahrten verdiente. Ihm gehörte das schäbige Motorboot *Glory*, und sein rundes rotes Gesicht war in den Hafenkneipen Torquays ein alltäglicher Anblick.

»Ich hatte ein Auge auf Ihr Boot, Käpt'n, aber es sind keine Kunden gekommen. Haben Sie Glück gehabt?«

»Nicht die Spur, Arthur. Ich fürchte, das war's dann wohl.« Er zuckte mit den Achseln, stieß die Hände tief in die Hosentaschen und blickte auf die schnittige Motoryacht hinab, die unter ihnen vertäut lag. Das Sonnenlicht funkelte auf ihren blanken Messingbeschlägen, sie war ein eleganter Anblick: Fast 14 m geballte Kraft, verdankte sie ihre Schönheit der Liebe eines Schiffbauers zu seiner Handwerkskunst. Auf dem hellgescheuerten Teakdeck lagen sauber aufgeschossene Leinen, an der makellos weißen Bordwand spiegelten sich die kleinen Wellen. Sie war jeder Zoll ein Vollblut.

Vivian konnte seine Stimme nur mühsam beherrschen, als er wie zu sich selber zu sprechen begann. »Ich habe in London angerufen. Meine Gläubiger wollen mir keinen Monat mehr für die Zahlung der Restraten einräumen. Wenn du also nicht zufällig siebenhundert Pfund überflüssig hast, Arthur, dann werden sie mir die *Seafox* wegnehmen.« Das klang verbittert.

Der Alte schüttelte den Kopf. »Ich hab's ja immer gesagt, Sir: Sie können mit den großen Charterfirmen nicht konkurrieren.« Er spuckte ins Wasser. »Sie liegen jetzt zwei Jahre mit Ihrem Boot hier und hatten früher doch jede Menge zahlender Gäste. Was ist bloß schiefgegangen?«

»So ist es nun mal, Arthur.« Vivian sprach so langsam und geduldig, als wiederhole er einen schon oft gehörten Text. »Wie du weißt, hatte ich nach meinem Abschied von der Navy einige Zeit einen Job in London. Mit meinen Ersparnissen und meiner Abfindung konnte ich die Anzahlung für das Boot leisten. Ich dachte, daß seine Vermietung im Sommer genug für mich und die Raten abwerfen würde. Dabei habe ich mich verrechnet, das ist alles.« Er lachte rauh. »Erstens vergaß ich, daß man auch mal eine Saison lang fast keine Kunden haben kann, und zweitens war mir nicht klar, daß mein Boot in der Zwischenzeit erheblich an Wert gewonnen hat. Diese verdammten

Hunde wollen es mir nun abnehmen, um es mit dickem Gewinn ein zweites Mal zu verkaufen.«

Wütend trat er nach einem Stein. »Verdammt, das macht mich ganz krank! Wo soll ich bloß das Geld auftreiben?«

Sie gingen über die schmale Planke und traten ins Ruderhaus der *Seafox*, dankbar für den Schatten und froh, dem Lärm der Menschen draußen entronnen zu sein.

Während Arthur den Teekessel aufsetzte, beobachtete er Vivian, der unruhig im Salon auf und ab ging und mit fahrigen Händen die vertrauten Gegenstände betastete. Traurig schüttelte Arthur den Kopf. Er wußte, wenn Vivian sein Boot verlor, würde ihn auch sein Lebensmut verlassen.

Ein kleiner Schatten huschte durch die Tür des Ruderhauses, und einen Augenblick später sprang ein großer, schwarz-weißer Kater die Treppe herunter und blickte sich unsicher um. Nachdem er sich vergewissert hatte, daß er willkommen war, stolzierte er zu einem alten Kissen unter dem Tisch und begann sich zu lecken.

Vivian sah zu dem Tier hinunter. »Verdammt!« explodierte er. »Ich will verflucht sein, wenn ich mich kampflos ergebe! Ich werde nach London fahren und mit den Blutsaugern reden.« Er hielt inne und lächelte wehmütig. »Vergiß nicht, ein Auge auf Old Coley hier zu halten, während ich weg bin, Arthur.«

»Aye, Käpt'n. Er kriegt jeden Tag einen Napf voll frischem Fisch. Eines schönen Tages wird dieser Vielfraß platzen wie 'n verdammter Luftballon!« Das Gesicht des alten Mannes begann wieder zu strahlen, weil ihm noch nicht alles verloren schien. »Machen Sie sich keine Gedanken, Sir. Ich werde den Generator laufen lassen, das Deck waschen, den Kater füttern, die neugierigen Jungs von Bord jagen und...« Er machte eine nachdenkliche Pause. »Was ist, wenn ein Kunde die alte *Seafox* chartern will, he? Wo kann ich Sie dann erreichen?«

»Du kannst mich im R.N.V.R.*-Club anrufen, dort wohne ich in London. Nächstes Jahr werde ich wohl meine Mitgliedsbeiträge nicht mehr zahlen können, also nutzen wir's noch mal richtig aus!«

Mit einem schlechten Gefühl in der Magengegend griff er nach dem Fahrplan. Aber er mußte einfach etwas tun, irgend etwas. Er spürte, wie sich das Boot unter ihm wiegte, als ein Ausflugsschiff mit

---

* Royal Navy Voluntary Reserve, freiwillige Reserve der britischen Kriegsmarine

lachenden Feriengästen vorbeifuhr, und wußte: Wenn ihm nicht bald eine Lösung einfiel, würde er auf einen Schlag sein Heim, seine Existenz und sein Hobby verlieren.

Dann blickte er zum Kater hinunter, der sich heftig putzte, und mußte trotz seiner Sorgen lächeln. Eine Luxusyacht, ein fetter alter Kater und ein Ex-Kommandant – was für eine Mischung! Dennoch fühlte er sich erleichtert, daß er beschlossen hatte, etwas zu unternehmen. Während der alte Mann vor sich hinbrummelnd frischen Tee aufbrühte, begann Vivian seine kleine Reisetasche zu packen.

Der R.N.V.R.-Club in der Nähe des Piccadilly Circus war praktisch leer, als Vivian in die Lounge herunterkam. Die Nachmittagssonne warf helle Lichtbalken auf die Bartheke. Er schnüffelte, als ihm der ungewohnte Gestank von Auspuffgasen in die Nase stieg, und lauschte dem fernen Lärm des Großstadtverkehrs. Dann blickte er auf seine Uhr und fragte sich, was er mit seiner Zeit anfangen sollte. Er hatte mit dem Büro des Maklers telefoniert und von einer eisigen Sekretärin erfahren, daß er den Manager keinesfalls vor morgen früh sprechen konnte. Das ließ ihn ahnen, wie das Urteil lauten würde.

Einer der Klubstewards, der das geschwungene Messinggeländer der Treppe putzte, blickte auf, Erstaunen im Gesicht.

»Gütiger Gott, ist das nicht Leutnant Vivian? Wir haben Sie hier schon lange nicht mehr gesehen – ich hoffe, daß es Ihnen gutgeht, Sir?«

Vivian murmelte etwas und ging in die Halle, um Zeitung zu lesen. Ein Hausdiener blickte ihm nach und fragte: »Wer war denn das, Bert?«

Der Steward fuhr mit dem Polieren fort. »Du hattest gerade die Ehre, einen der besten MGB-Skipper zu sehen, den die Kanonenboote im letzten Krieg hatten, alter Freund«, erwiderte er. »Er wurde zweimal mit dem D.S.C.* ausgezeichnet, dreimal verwundet – und sieh ihn dir jetzt an: keine zwei Pence in der Tasche, wenn ich mich nicht irre.«

Vivian hatte nicht bemerkt, daß sein Erscheinen ihr Interesse geweckt hatte. Er saß in einem der bequemen Sessel und hatte bunte Magazine vor sich ausgebreitet, in denen er gelangweilt blätterte. Er fühlte sich wohl im Klub, überließ sich in seiner ruhigen Atmosphäre

---

* Distinguished Service Cross, hohe Tapferkeitsauszeichnung für Offiziere

Erinnerungen, die ihm teuer waren. Die Bilder an den Wänden brachten die nervöse Anspannung zurück, die ihn beherrscht hatte, als er Nacht für Nacht mit seinem kleinen Kanonenboot über den Ärmelkanal gejagt war, um in einem Inferno aus Lärm und Feuer seine Pflicht zu tun. Schon damals hatte er von einer eigenen Yacht geträumt und sich geschworen, sich niemals in die seelenlose Tretmühle eines Büros einsperren zu lassen. Aber der Traum hatte der rauhen Wirklichkeit nicht standgehalten und schien jetzt ein Alptraum zu werden.

Die lange Bahnreise von Devon nach London, der warme Nachmittag und der bequeme Sessel taten ihre Wirkung. Er nickte ein, das Magazin fiel zu Boden.

Plötzlich schreckte er hoch. Der Abendbetrieb im Klub hatte begonnen, und obwohl die Sonne noch hoch stand, drang von der Bar schon lautes Stimmengemurmel zu ihm. Er wanderte hinüber und verlangte ein Bier. Dann stützte er sich auf den abgenützten Tresen und starrte nachdenklich die glitzernden Flaschen an, die ihn zu verspotten schienen.

Er wußte nicht, wie lange er so gestanden hatte, als er plötzlich einen harten Schlag zwischen die Schulterblätter erhielt. Ungeschickt rutschte er ab und stieß sein Bierglas um; eine Pfütze bildete sich auf dem Tresen. Er fuhr herum, um den Angreifer zurechtzuweisen, alle Nerven bis zum Zerreißen gespannt.

»Was zum Teufel soll das!« Aber dann hielt er inne und blickte in das rote, grinsende Gesicht seines Kontrahenten.

»Du lieber Himmel!« stieß er hervor. »Felix! Felix Lang! Du alter Teufel! Schön, dich zu sehen!«

Freudig schüttelten sie einander die Hände und übersahen die amüsierten Blicke der anderen Gäste. Felix Lang war ein schwerer Mann mit rundem Gesicht und auf dem besten Wege, dick zu werden. In seinem rosigen, satten Gesicht fiel der wulstige, sensible Mund auf. Er sah aus wie ein wohlhabender Geschäftsmann, der sich ein gutes Leben leisten konnte. Obwohl er nur vier Jahre älter war als Vivian schien er bereits alle angenehmen Seiten des Lebens genossen zu haben. Von dem gefürchteten Flottillenchef Felix Lang war wenig übriggeblieben – bis auf eine gewisse Härte in den dunkelbraunen Augen.

Nun winkte er mit einer fleischigen Hand dem Barkeeper. »Zwei große Pink Plymouth!« brüllte er und wandte sich wieder Vivian zu.

»Was für ein Glücksfall, alter Junge!« Seine Augen musterten Vivians altes Jackett und seine saubere, aber abgetragene Flanellhose. »Das ist ja ein toller Abschluß eines total versauten Tages. Ich habe erst heute morgen an dich gedacht und mich gefragt, was wohl aus dir geworden ist.« Er kicherte. »Und da sind wir nun.«

Er schüttete den Gin wie Wasser hinunter. »Was treibst du so, alter Junge?«

Vivian gab dem Barkeeper ein Zeichen, obwohl die beiden Pfundnoten in seiner Brieftasche zusammen mit der Rückfahrkarte im Augenblick seinen gesamten Besitz bildeten.

Lang war zwar dick geworden, aber immer noch der alte Kamerad, der über seine eigenen Witze lachte und einer der tapfersten Männer gewesen war, die er gekannt hatte. In seinem leichten grauen Anzug, offensichtlich in der Savile Row maßgeschneidert, und mit den handgefertigten Schuhen sah er aus wie der Inbegriff des erfolgreichen Geschäftsmannes.

Als Vivian seine abgegriffene Brieftasche öffnete, um zu zahlen, spürte er, daß ihm Lang über die Schulter blickte, und errötete.

»He, hallo, alter Junge, was ist denn das für eine Fotografie? Dein Mädchen?«

»Nein, nein, nur mein Boot«, erwiderte Vivian und reichte das Foto trotzig hinüber. Verdammt soll er sein, dachte er dabei. Felix ist zwar offensichtlich auf allen Vieren gelandet, aber ich wette, daß er kein solches Boot besitzt. Das offensichtliche Interesse seines alten Flottillenchefs schmeichelte ihm. Für einen Augenblick war dessen Fassade aus gönnerhafter Lässigkeit durchsichtig geworden und dahinter ein ganz anderer Mann mit Fähigkeiten zu erkennen, die keiner bei ihm vermutet hätte.

Lang packte seinen Arm. »Alter Junge, wir sollten irgendwo hingehen, wo es ruhiger ist und wir in Ruhe reden können. Wir könnten auch eine Kleinigkeit essen, ich kenne da ein gemütliches Lokal. In Ordnung?«

Damit führte er Vivian hinaus in die kühle Abendluft und zu einer langen, niedrigen, silberfarbenen Bentley-Limousine.

Vivian pfiff leise durch die Zähne. »Respekt, Felix, du scheinst ja nicht gerade am Hungertuch zu nagen.«

Lang breitete weit die Arme aus. »Tja, alter Freund, wenn man nicht selbst für sich sorgt, tut es kein anderer!«

Geschickt lenkte er den Wagen durch den dichten Verkehr, dabei erkundigte er sich wie nebenbei nach Vivians Geschäften. Und obwohl dieser genau wußte, daß er ausgehorcht wurde, antwortete er bereitwillig, denn es war eine Erleichterung, mit jemandem über seine Zukunftsängste sprechen zu können.

»Hm, da steckst du aber ganz schön in der Patsche«, murmelte Lang schließlich. »Bis jetzt hast du diesen Makler noch nicht erreicht?«

Vivian nickte.

»Na, dann wäre das ja erledigt.«

Wütend wandte sich Vivian ihm zu. »Was meinst du mit erledigt? Etwa mich?« explodierte er.

Er merkte, daß Lang sich vor Lachen schüttelte. Nur mühsam konnte er einem Taxi ausweichen. Vivian aber saß zusammengesunken neben ihm und wünschte sich, daß der Wagen anhalten möge, damit er aussteigen und dem Freund seine Faust zwischen die glitzernden Zähne rammen konnte.

Mit großer Anstrengung zügelte sich Lang und parkte vor einem französischen Restaurant. Dann drehte er sich auf seinem Sitz um und blickte Vivian gerade in die Augen.

»Tut mir aufrichtig leid, wenn ich mich eben danebenbenommen habe, alter Junge, wirklich. Aber versteh' doch«, wieder begann er zu kichern, »ich kann dir helfen!« Weil Vivian schwieg, wiederholte er: »Ich kann dir helfen, das Geld aufzutreiben, und gleichzeitig kannst du mir einen Gefallen tun.«

Als Vivian skeptisch blieb, fuhr er fort: »Es geht wirklich in Ordnung, du hast heute wohl einen Glückstag. Komm, laß uns reingehen, dann besprechen wir alles bei einem guten Essen.«

Sie verließen den Wagen und betraten das kleine, schummrig beleuchtete Restaurant. Ein junger Mann saß am Piano und spielte gelangweilt, zwei Paare drehten sich auf einer winzigen Tanzfläche.

Nachdem sie in einer der Nischen Platz genommen hatten, begann Lang: »Es ist so, alter Freund, daß ich nach dem Krieg dank guter Verbindungen das Management der Europa Travel Agency in London übernommen habe. Vermutlich hast du schon von uns gehört – sogar unten in Torquay?«

Vivian nickte. Es war bei seinem Beruf fast unmöglich, die erfolgreichste Reiseagentur der Branche nicht zu kennen.

»Der Chef der Firma ist ein alter dänischer Freund, ein Maler«, fuhr Lang fort. »Er ist ein wenig behindert, aber ein großer Künstler.

15

Während des Krieges brachte ich ihn mit anderen Flüchtlingen und seiner Nichte von Dänemark hierher nach England. Du erinnerst dich doch, daß die Deutschen damals Widerstandskämpfer sofort an die Wand stellten. Davor habe ich ihn gerettet. Wie auch immer, nach dem Krieg lief ich ihm zufällig in die Arme. Er baute mit seinem Geld gerade die Reiseagentur auf, und du kannst mir glauben, Geld hat er wirklich eine Menge. Ich übernahm den Außendienst. Wir begannen mit einem Londoner Büro, aber jetzt haben wir auch Niederlassungen auf dem Kontinent – eigentlich in jeder verdammten Ecke dieser Welt. Komisch ist nur, daß es dem Chef immer noch Spaß macht, unsere Werbeplakate zu entwerfen. Es ist sein einziges Vergnügen – das und seine Nichte. Aber die ist ja auch wirklich ein Schatz. Wart nur ab, bis du sie siehst. Wäre ich nicht schon in festen Händen, könnte ich ihretwegen auf dumme Gedanken kommen.«

»Du bist verheiratet?« Vivan war verdutzt.

»Verheiratet – ich? Du machst wohl Witze, alter Junge! Nein, aber ich bin fest liiert.«

»Du scheinst viel Erfolg gehabt zu haben, Felix. Doch sehe ich noch immer nicht, wie ich in dieses Spiel passe.«

Lang lehnte sich über den Tisch, seine Augen waren wachsam. »Neben vielem anderen arrangieren wir auch Kreuzfahrten mit gecharterten Yachten, mein Freund. Solltest du daran Interesse haben, garantiere ich dir, daß du die ganze nächste Saison ausgebucht bist. Warte!« Warnend hob er die Hand, als Vivian den Mund öffnete. »Jetzt brauche ich dich allerdings für einen besonderen Job mit nur einem Passagier – es geht hinüber auf die andere Seite des Kanals. Der Skipper, der dafür vorgesehen war, steht uns nicht länger zur Verfügung.« Er machte eine Pause. »Ich brauche jemanden, dem ich völlig vertrauen kann. Mit anderen Worten, dich!«

»Willst du mir weismachen, daß du mir für diesen einen Trip, um den sich bestimmt Dutzende von Bootseignern reißen, die siebenhundert Pfund zahlen würdest, die ich benötige?« Vivian blickte den anderen scharf an. »Da stinkt doch was, richtig?«

Lang seufzte. »Komm, stell mir nicht solche Fragen. Wir wollen uns darauf einigen, daß es sich um ein wichtiges Geschäft handelt. Wichtig für mich – und natürlich auch für dein Boot.«

Er beobachtete, wie Vivian mit seinen Skrupeln kämpfte, und stieß nach: »Philip, ich will dich nicht auf die Rolle schieben, dafür kennen wir uns zu gut aus alten Tagen. Du hast wirklich nichts zu befürchten.

Bei dieser Fahrt bist du ganz offiziell bei der Agentur beschäftigt und mußt nur diesen Kerl nach Frankreich kutschieren, schön unauffällig. Der Bursche heißt Cooper und ist eine Art Geheimagent, der diskret unsere Büros kontrolliert und sie mit zusätzlichem Bargeld versorgt. Damit umgehen wir die verdammten Währungsbestimmungen. Nur so kann man überleben, verstehst du? Auf dem Papier ist es natürlich ungesetzlich, aber die Leute, die diese Gesetze gemacht haben, sind genau die Sesselpuper, für die du und ich unsere Köpfe hingehalten haben. Während uns vor Angst die Kacke im Hintern gekocht hat, haben sie sich einen schönen Tag gemacht, aber das brauche ich dir ja nicht zu erklären.« Er lächelte verschwörerisch. »Was kannst du schon mit deinen Orden anfangen? Ich wette, dein spezieller Freund, der Makler, nimmt sie nicht in Zahlung!«

»Aber siebenhundert Pfund . . .«

»Das bist du uns wert. Betrachte sie als Vorauszahlung für das nächste Charterjahr. Also, willst du den Job? Wenn nicht, muß ich mir jemand anderen suchen. Aber das ist dann vielleicht jemand, den ich nicht so mag wie dich und dem ich nicht helfen möchte.« Er grinste. »Niemand wird einen zweiten Blick auf dich verschwenden, weil alle daran gewöhnt sind, daß du mit deinem Boot herumvagabundierst. Übrigens, wenn du danach wieder einläufst, ist es tatsächlich *dein* Boot! Kein gieriger Hypothekenhai kann dann noch die Hand drauflegen.«

Lang zog ein dünnes goldenes Etui hervor und zündete sich eine Zigarette an. Langsam inhalierte er den Rauch, dann fragte er leise: »Nun, alter Freund, bist du dabei?«

Vivian zitterte innerlich, doch er lächelte, wenn auch verkrampft. »Ich bin dabei, aber nur dieses eine Mal.«

Lang atmete tief aus und streckte ihm die Hand hin. »Meine Hand darauf! Und jetzt wollen wir essen.« Er winkte den Kellner heran. »Komm morgen bei mir im Büro vorbei, bevor du zu dem Makler gehst, wir geben dir dann, was du brauchst.«

Der nervenzerfetzende Verkehrslärm verschmolz in Vivians Ohren zu einer ohrenbetäubenden Kakophonie. Die Morgensonne fiel nur gefiltert durch die aufgewirbelten Staub- und Abgaswolken auf die knochentrockenen Gehsteige. Die Luft schien in den engen Häuserschluchten zu stehen. Vivian fühlte den übermächtigen Wunsch, sich umzudrehen und in die angenehme Kühle seines Klubzimmers zurückzukehren. Aber er schlenderte weiter auf der schattigen Seite der Regent Street entlang und warf nur gelegentlich einen Blick in die übervollen Läden. Im Geist beschäftigte er sich immer noch mit dem Vorschlag Langs.

Er zweifelte nicht einen Augenblick daran, daß Langs Erklärung stimmte, aber in seinem Inneren hegte er den Verdacht, daß er ihm den Job nur aus Gefälligkeit und um der alten Zeiten willen zugeschanzt hatte. Vielleicht hatte er das alles nur deshalb in den Mantel eines Geheimnisses gehüllt, damit er die bittere Pille besser schluckte? Vivian runzelte die Stirn und blickte ärgerlich zu den Hausnummern hoch, um sich zu vergewissern, daß er noch in die richtige Richtung lief. Dann sah er das Büro der Reiseagentur, eine eindrucksvolle Schaufensterfront, in der geschmackvolle Werbeplakate hingen, dekoriert mit Fischernetzen und imitiertem Seegras. Darunter lagen die üblichen Urlaubsprospekte.

Drinnen sah er mehrere junge Damen hinter einem langen Tresen geduldig die bohrenden Fragen von Kunden beantworten. Mindestens drei Glastüren führten aus dem Verkaufsraum hinaus in Büros: wirklich ein prosperierendes Unternehmen. Es schien lachhaft, daß eine so große Firme Devisenprobleme haben sollte. Aber Vivian hatte sich entschlossen. Das Geld konnte er Lang vom Verdienst des nächsten Jahres zurückzahlen, und im Augenblick war die Rettung seines Bootes am wichtigsten.

Er bahnte sich einen Weg durch die Tür und meldete sich am Tresen.

»O ja, Sir, Sie sind Mr. Vivian, nicht wahr? Wir haben Sie schon erwartet«, flötete eine flott gekleidete Angestellte. Vivian sah ihren schlanken, nylonbestrumpften Beinen nach, als sie eilig durch eine Bürotür verschwand. Bald kehrte sie zurück und führte ihn routiniert in ein großes Büro, das mit teuren Teppichen ausgelegt war.

Lang saß hinter seinem Schreibtisch und deutete auf einen roten Ledersessel, dann faltete er die Hände über seinem Bauch. »Nun, alter Junge, bist du gekommen, um dich zur Arbeit zu melden?«

»Wann soll ich anfangen?« Vivians Stimme klang gepreßt. »Ich muß dir danken, nehme ich an. Ich stehe tief in deiner Schuld.«

Lang winkte ab. »Quatsch! Ich muß dafür sorgen, daß der Laden hier reibungslos läuft, das ist alles. Aber mal ehrlich, ich glaube, daß wir auch in Zukunft zusammenarbeiten werden. Schließlich kann es dir kaum gefallen, wenn ein Dutzend Landratten ungeschickt auf deinem gepflegten Boot herumtrampeln und dämliche Fragen stellen. Chartergäste verursachen so viele Schäden, daß am Ende kaum Profit übrigbleibt, nicht wahr?« Er grinste wissend, als Vivian eine Grimasse zog. »Aber wir vermitteln nur kleine Gruppen, oft schicken wir unseren Skippern nur einen einzelnen Gast, so einen reichen Typ, der nur mal Abstand von allem gewinnen will.« Er lachte herzhaft. »Natürlich mußt du ein Auge zudrücken, wenn er dazu seine Sekretärin mitnimmt.«

Als Vivian schwieg, zog Lang ein Schubfach an seinem Schreibtisch auf und warf ihm einen prallgefüllten Umschlag in den Schoß. »Das sind die Siebenhundert. In Fünfern, okay?«

Vivian drehte den Umschlag unsicher in den Händen hin und her. »Verdammt, das ist wie ein Wunder!« brach es dann aus ihm heraus. Er wog den Umschlag in einer Hand. »Fühlt sich gut an.«

Lang grinste. »Die Summe stimmt, ich habe selbst nachgezählt. Tut mir leid, daß es Bargeld ist, aber das erleichtert die Dinge.«

Vivian zog die Augenbrauen in die Höhe. »Wieso?«

»Na, du weißt doch, wie das läuft. Wir machen unsere Gehaltsabrechnungen vierteljährlich, und da niemand wissen soll, daß du jetzt schon für uns arbeitest, ist es bar einfacher.«

»Das heißt also, sollte ich dumm genug sein, mich während des Törns vom Zoll schnappen zu lassen, bringt dich nichts mit der Angelegenheit in Verbindung, richtig?«

Lang lachte. »Du begreifst schnell, Philip. Genauso ist es. Du übernimmst das Risiko für mich, und ich bezahle dich gut dafür.« Er lehnte sich zurück und blickte Vivian nachdenklich an.

»Wie kannst du so sicher sein, daß ich dich nicht mit hineinreiße, um mich zu entlasten?«

»Das frag' dich doch selber, alter Junge«, lachte Lang. »Würdest du mich anschwärzen – selbst wenn du etwas beweisen könntest?«

»Nein. Die Öffentlichkeit braucht nicht zu erfahren, daß die Europa Travel Agency ihre Leute im Ausland schmieren muß, damit alles klappt.«

Plötzlich wurde Lang ernst. »Also, mein Mann wird morgen an Bord kommen. Er ist bereits in Torquay, ich habe ihn heute nacht angerufen und ihm gesagt, daß er sein Gepäck auf dein Boot bringen soll.«

»Du warst dir meiner ja sehr sicher«, meinte Vivian trocken.

»Das mußte ich auch sein. Dein Vorgänger hat sich als völlig unbrauchbar erwiesen. Vielleicht kannst du jetzt verstehen, warum ich so froh war, als ich dich gestern traf. Es war wie ein Wunder, sage ich dir!« Lang wiegte bedenklich den Kopf. »Ich habe ihn sehr gut bezahlt und ihm prima Geschäfte vermittelt, und zum Dank dafür versuchte er, mich zu erpressen!«

»Wie war sein Name?« forschte Vivian. »Gehörte er auch zu unseren Leuten?«

»Aber nein! Nick Patterson war eine Null, bevor ich ihm den Job verschaffte. Jetzt ist er verschwunden, obgleich sein Boot noch irgendwo an der Südküste liegt.«

Vivian stand auf. »Ich muß los. Dieser Cooper wird mir unseren Zielhafen wohl erst sagen, wenn er an Bord kommt.«

»Das kann ich schon jetzt, es ist kein Geheimnis. Ihr werdet nach Calais fahren. Es ist in dieser Woche Ziel einer Sternfahrt vieler britischer Klubs, du wirst also in dem allgemeinen Durcheinander gar nicht auffallen. Cooper ist offiziell dein Passagier, aber *du* wirst das Geld an Land bringen. Es ist ganz einfach, er wird dir an Bord alles genau erklären.«

Sie schüttelten sich die Hände, und Vivian eilte hochgestimmt durch die belebten Straßen zum Büro des Maklers. Fast empfand er Mitleid mit der schnippischen Sekretärin, die ihm eine Empfangsbescheinigung für das Geld ausstellen mußte. Mr. Grandison, den Manager, schien der Anblick des vielen Geldes zu überraschen; er versuchte Vivian vorsichtig auszufragen, aber dieser blieb auf der Hut.

Mit der Quittung in der Tasche und dem festen Versprechen, daß ihm die Eigentumsurkunde und die anderen Papiere umgehend zugestellt werden würden, machte er sich auf die Heimfahrt nach Torquay.

Am nächsten Tag war Vivian beim Deckwaschen, als er plötzlich einen Mann an der Pier bemerkte, der ihn beobachtete. »Mr. Cooper, wenn ich nicht irre?«

Der Mann nickte und kam die Treppe herab.

»Das ist also Ihr Passagier«, knurrte Arthur, der Bootsmann, mißtrauisch.

Vivian nickte nur. Er bemerkte, daß der adrette kleine Mann in blauem Blazer und weißer Hose zwei große Koffer trug. Zwei weitere standen bereits im Salon, wo sie Arthur deponiert hatte. Die Angelegenheit erschien Vivian zunehmend merkwürdig.

Der Mann stieg leichtfüßig an Deck und nahm seinen Panamahut ab, der ein schmales dunkles Gesicht verdeckt hatte. Er reichte Vivian eine sorgfältig manükierte, weiche Hand. Cooper mochte vierzig Jahre alt sein, litt unter Haarausfall und hatte dunkle, fast schwarze Augen, die dicht beisammenstanden. Seine elegante Ausstattung, die teure Krawatte und das Seidenhemd konnten den Eindruck nicht verwischen, daß Mr. Cooper schon härtere Zeiten erlebt hatte.

Er deutete auf sein Gepäck und schnarrte: »Bitte bringen Sie das nach unten.« Als er lächelte, roch Vivian feinen Whisky. »Ich denke, daß wir danach ablegen können, Kapitän. Ich gehe nach unten und packe meine Sachen aus. Den alten Mann nehmen Sie doch nicht mit, oder?«

Zehn Minuten später brummten die beiden Dieselmotoren beruhigend, das Boot ruckte an den letzten beiden Festmachern, und Arthur ging an Land, den Kater unter den Arm geklemmt.

Vivian rief: »In ungefähr fünf Tagen bin ich wieder zurück, Arthur. Also bis dann.«

Der alte Mann blieb stehen, als ob er noch etwas sagen wolle. Aber er lächelte nur verkniffen und warf die letzten Leinen los. Vorsichtig stieß er die Yacht mit dem Fuß von der Mauer ab.

Die grauen, sonnenüberfluteten Piers mit unzähligen Zuschauern, die weißen Boote und die Ausflugsdampfer glitten vorbei. Vivian stand breitbeinig im kühlen Ruderhaus und steuerte das Boot auf See hinaus. Sein Herz schlug freudig, als sich der schlanke Bug in die ersten langen Dünungswellen bohrte. Eine Stunde später stellte er den Autopiloten ein und fühlte, daß ihn Cooper dabei von der Salontür aus beobachtete.

Schließlich bemerkte er: »Ein hübsches kleines Spielzeug.«

Vivian nickte. »Wenn man viel allein unterwegs ist, dann ist eine Selbststeuerung unverzichtbar.«

»Ihr Vorgänger hatte nichts derartiges. Sein Boot war ziemlich altmodisch.«

»Ach, Sie kannten Patterson?« Interessiert blickte Vivian auf.

»Ja, wir sind einige Male zusammen gefahren.«

»Wo ist er jetzt? Könnten wir zufällig auf ihn stoßen?«

»Kaum.« Cooper lachte leise in sich hinein. »Er ist nämlich tot.«

»Tot? Warum? Was ist passiert?«

»Wie ich schon sagte, er hatte ein sehr altes Boot. Darauf ist Feuer ausgebrochen, es muß wohl ziemlich schlimm gewesen sein.«

Ein lautloses Lachen schüttelte ihn. »Armer alter Patterson! Er wollte zu gern ein großes Licht sein.«

Eisige Kälte kroch an Vivians Wirbelsäule empor, er erinnerte sich, daß auch Lang so merkwürdig gelacht hatte, als er über Patterson gesprochen hatte. Er fragte: »Was für ein Mann war er?«

»Ach, er war schon in Ordnung. Aber er fragte zuviel.«

Vivian drehte sich um und blickte in Coopers tiefliegende Augen, die ihn fixierten. Es waren die Augen eines Hais, kalt und völlig ohne Mitgefühl.

Die Positionslaternen glühten rot und grün zu beiden Seiten des Ruderhauses. Nachdem er sich vergewissert hatte, daß keine Schiffahrt in Sicht war, ging Vivian in den Salon hinunter. Cooper hatte sich bereiterklärt, für sie beide eine Mahlzeit zu kochen.

Einer seiner großen Koffer lag geöffnet auf dem Boden, und Vivian blickte erstaunt hinein. Er enthielt einen schmutzigen Fünf-Gallonen-Dieselkanister.

Cooper nickte. »Hübsch, nicht wahr?«

»Was soll das?«

»Sie werden diesen Kanister an Land bringen – um genau zu sein, es werden zwei sein. Sollte Sie irgendwer fragen, wohin Sie damit wollen, werden Sie antworten, daß Sie Diesel für Ihre Maschinen benötigen. Dann gehen Sie zu einer Tankstelle, die ich Ihnen noch zeigen werde. Mit zwei vollen Dieselkanistern kehren Sie dann an Bord zurück, und der Mann in der Tankstelle behält diese beiden Schönheiten hier. Gut ausgedacht, nicht wahr?«

»Das kann man wohl sagen.« Vivian schob seine Mütze zurück, während er Cooper zusah, der den zweiten Koffer auspackte. Dann nahm er einen Kanister in die Hand, um sein Gewicht zu prüfen.

»Hm, ein bißchen schwer für einen Kanister, der leer sein soll.«

»Nun ja«, meinte Cooper mit einem breiten Grinsen, »schließlich muß ihn ja niemand für Sie tragen, nicht wahr?« Wieder lag eine versteckte Drohung in seiner Stimme.

Vivian schüttelte den Kopf, er überlegte schnell. »Okay, Mr. Cooper. Die Kanister sind so gut wie abgeliefert.«

Cooper strich sanft über sein Seidenhemd und blickte sich wie verträumt im Salon um. »Sehr gut. Schließlich ist es schade, wenn so schöne Boote in Flammen aufgehen, nicht?«

Als Vivian den Ruderautomaten um Mitternacht neu einstellte, beschäftigten ihn diese Worte noch immer, aber er wußte, daß es zum Aussteigen zu spät war.

2

Der Yachthafen von Calais war voller Boote, die über die Toppen geflaggt hatten. Yachten aller möglichen Typen und Größen lagen in Gruppen zusammen und rollten im Gleichtakt hin und her. Nationalflaggen knatterten im Wind. Die aufgeregten Stimmen ihrer ausgelassenen Crews machten allen unüberhörbar klar, daß die Briten in Calais eingefallen waren.

Die beiden Dieselkanister schienen Vivian höchst auffällig, als sie beim Laufen gegen seine Beine schlugen. Da er ihren Inhalt kannte, hatte er das Gefühl, daß sich alle Augen im Hafen auf ihn richteten. Aber wie Cooper vorausgesagt hatte, lief alles wie geschmiert. Die Hafenbehörden und die Zöllner waren entweder zu beschäftigt oder zu gutwillig, um sich über eine weitere britische Yacht Gedanken zu machen. Vivian wandte sich nach rechts und bog in eine enge Gasse mit altem Kopfsteinpflaster ein. Gleich darauf stand er vor einer vernachlässigten Tankstelle. Die Werbung auf den verbeulten Blechschildern war seit langem unleserlich. Kinder hatten diese als Zielscheiben benutzt, der Ruß unzähliger Motoren hatte sich darauf abgelagert. Zwei Torflügel, die in eine große Werkstatt führten, hingen schief in den Angeln: insgesamt ein trostloses Bild.

Vivian trat in die Werkstatt und sah sich im Zwielicht um. Unter einem halb zerlegten, uralten Anhänger kroch ein rundgesichtiger Mann im Overall hervor. Er hievte sich auf seine kurzen Beine und wischte sich die schwarzen Hände an einem alten Handtuch ab. Mißtrauisch musterte er Vivian von Kopf bis Fuß.

»Oui?« fragte er auffordernd, dann veränderte sich sein Gesicht plötzlich. Sein Blick war auf die beiden Kanister gefallen und ließ sie nicht mehr los. »Ah ja, Sie wollen die Kannen auffüllen, m'sieur?« Als Vivian nickte, führte er ihn schnell in ein kleines Büro im Hintergrund, wo schon zwei ähnliche Behälter bereitstanden. Während sich Vivian eine Pfeife stopfte, holte der Franzose Werkzeug hervor und begann den Boden der ersten Kanne zu öffnen. Aber dann störte ihn Vivians interesssierter Blick, er hielt inne und sah ihn nachdenklich an.

»Ich glaube, es ist besser, wenn Sie jetzt zu Ihrem Boot zurückgehen, *mon ami*.«

Vivian nahm achselzuckend die neuen Kanister hoch. »Okay, ich verschwinde.« Die Augen des anderen folgten ihm durch die Halle.

Auf halber Strecke zum Hafen fiel Vivian plötzlich ein, daß er seine Pfeife im Büro vergessen hatte. Das war ein guter Grund, dem unfreundlichen Mechaniker einen gehörigen Schrecken einzujagen, dachte er grinsend. Mit einem schnellen Blick vergewisserte er sich vor der Tankstelle, daß die Gegend verlassen war, nur ein magerer Hund schnüffelte hungrig an einer umgefallenen Mülltonne. Vivian glitt geräuschlos in die Werkstatt, die Gummisohlen seiner Bootsschuhe machten kein Geräusch. Unentdeckt erreichte er die Bürotür und suchte nach einem Loch in ihrem Sackvorhang. Er wollte doch mal sehen, wieviel Geld eine 700 Pfund teure Fahrkarte rechtfertigte.

Zuerst sah er nur den gebeugten Rücken des Mannes im Overall, aber dann fiel sein Blick auf den Tisch, wo der Inhalt der beiden Behälter gestapelt war. Ihm stockte der Atem. Es war Bargeld, soweit stimmte alles, aber nicht Geld von der Sorte, die bei legitimen Geschäften in Europa benutzt wurde. Von einem Tischrand bis zum anderen waren Dollarnoten aller denkbaren Größen in sauberen Stößen aufgehäuft. Allem Anschein nach mußten beide Kanister damit vollgestopft gewesen sein. Das Vermögen, das dort lag, repräsentierte selbst für Vivians ungeübtes Auge viele zehntausend Dollar. Auf dem Kontinent, wo man für Dollars buchstäblich alles kaufen konnte, bedeutete es uneingeschränkte Macht.

Verwirrt zog Vivian sich zurück. Vorsätzlich oder leichtfertig war er da in etwas hineingeraten, das ganz andere Dimensionen hatte als ein simpler Devisenschwindel. Im ersten Augenblick fühlte er Wut in sich aufsteigen, wollte in das Büro stürmen und die Wahrheit aus dem Besitzer herausprügeln. Aber dann wurde ihm klar, daß er für das Gesetz der eigentliche Schmuggler war, und das wirkte wie eine kalte Dusche. Also mußte Lang Bescheid gewußt haben. Vorsichtig zog Vivian sich zurück. Oder wurde auch sein alter Kriegskamerad nur von dem dänischen Firmenchef ausgenutzt, als dessen Werkzeug? Wie auch immer, ihm blieb im Augenblick nichts anderes zu tun, als nach England zurückzukehren, nur dort konnte er die Wahrheit erfahren. Grimmig kletterte er an Bord der *Seafox* und sah dabei, daß sich vor dem Ruderhaus ein schmutziger Schuhabdruck abzeichnete.

Cooper war also zurückgekehrt. Er lehnte entspannt in den Polstern und schien sich sehr wohl zu fühlen. Seine dunklen Augen hatten einen spöttischen Ausdruck. Angewidert entdeckte Vivian, daß er auch seidene Socken trug.

»Na, das lief ja ganz ausgezeichnet«, meinte Cooper schließlich langsam. »Kein Schatten fällt auf unser kleines Drama.« Wie entschuldigend hob er die bleichen Hände. »Oh, ich vergaß, daß Sie ja an Dramatik gewöhnt sind.«

»Was zum Teufel bedeutet das?« fragte Vivian kurz. Unbewußt machte er einen Schritt vorwärts.

Coopers dunkle Augen flackerten erschrocken auf, schnell beruhigte er Vivian: »Ach, nichts weiter. Ich hatte schon immer die größte Hochachtung vor euch Seeleuten.«

Von Vivian war der Streß der Reise abgefallen, er fühlte sich ausgelaugt. »Sie sind ein verdammter Lügner«, knurrte er. »Aber lassen wir es um des lieben Friedens willen dabei bewenden. Wir fahren jetzt direkt nach London und nicht erst nach Torquay«, fuhr er fort. »Ich muß mich dort um ein paar andere Sachen kümmern. Was halten Sie davon?«

»Ganz wie Sie meinen, Kapitän. London paßt auch mir besser.« Cooper wirkte so nervös wie ein Wiesel in der Falle. »Tut mir ehrlich leid, daß ich Sie geärgert habe.« Er sah ihn bittend an.

»Vergessen Sie's«, schnappte Vivian. »Aber bleiben Sie mir in Zukunft vom Leibe!«

Ärgerlich wandte er sich dem Kartenschapp zu. Als er ihm den Rücken zukehrte, veränderte sich Coopers Gesichtsausdruck schlagartig. Seine Augen glühten, seine Lippen zitterten vor Wut und Haß. Vermutlich hätte Vivian nicht so selbstsicher in die Zukunft geblickt, hätte er sich umgedreht und einen Blick auf die verzerrten Züge seines Passagiers geworfen.

Eine kurze weiße Bugwelle schäumte am scharfen Steven der *Seafox* auf, die sich einen Weg durch das stark befahrene Mündungsdelta der Themse suchte. Das Wasser glänzte im Sonnenglast wie poliertes Zinn. Mit geübtem Auge beobachtete Vivian fast beiläufig den Schiffsverkehr, mehrere Kümos, zwei Kohlenfrachter und einen mächtigen schwedischen Bauholztransporter. *Seafox* rollte leicht in dem unruhigen Wasser, blieb aber unbeirrt auf Kurs.

Das Ruderhaus war weit geöffnet, um die schwache Seebrise einzufangen, trotzdem war die Luft schwül und drückend. Ein Gewitter

schien zu drohen. Immer wieder wischte sich Vivian das schweiß-
nasse Gesicht mit dem Handrücken, während er gelassen, aber
wachsam am Ruder stand.

Er hatte sich entschlossen, offen und ehrlich mit Lang zu klären,
was hier gespielt wurde und wie er in das Spiel hineinpaßte. Gereizt
wirbelte er die Speichen des Ruders herum, als vollgesogene Holz-
stämme gefährlich nahe vorbeitrieben, und fluchte leise, während er
wieder auf Kurs ging. Er konnte nicht verstehen, wieso ein Land wie
Großbritannien es zuließ, daß sein einziger großer Strom, die
Themse, zu einer Müllkippe und Kloake verkam.

Ein schlanker, dunkler Schatten löste sich von einem fernen Kohlenfrachter und hielt mit wachsender Bugwelle auf die *Seafox* zu.
Als sich das schnelle Boot näherte, konnte Vivian die Uniformierten
und die blaue Flagge erkennen: der Zoll. Über die Schulter gewandt, brüllte er, um die dröhnenden Maschinen zu übertönen,
nach unten: »Cooper! Die Zöllner kommen!«

Cooper trat neben ihn und blinzelte auf das glitzernde Wasser
hinaus. Nervös zupfte er an seinem Schlips. »Hoffentlich versaut
uns das nicht alles«, quengelte er. »Ich habe doch angegeben, daß
wir nach Torquay zurückfahren.«

Vivian konzentrierte sich auf den Zollkreuzer, der elegant aufgedreht hatte und auf Parallelkurs ging. Das Wasser zwischen den beiden Booten kochte in dem schmalen Spalt. Vivian zog die beiden
Gashebel zurück, und der Abstand verringerte sich schnell. Die er-
fahrene Mannschaft drüben brachte mit geübter Lässigkeit Fender
aus. Ein kräftig gebauter Mann trat aus dem Ruderhaus und machte
sich klar zum Übersteigen. Auf dem in Königsblau gestrichenen
Rumpf leuchtete der Name *Pursuit*.

Weich schor der Zollkreuzer längsseits, und nachdem der Zöllner
behende an Bord gesprungen war, drehte das Boot elegant ab und
folgte ihnen im Kielwasser. Äußerlich freundlich, aber im Inneren
besorgt, bat Vivian: »Kommen Sie herein. Leider kann ich nicht
vom Ruder weg, ich fahre ohne Mannschaft.«

Der andere Mann nickte verständnisvoll und trat ein. »Sie haben
ein hübsches kleines Boot, Sir«, lächelte er. »Als wir Ihre Q-Flagge
sahen, dachte ich, das ist eine gute Gelegenheit, es mir mal von innen anzusehen.« Sein Blick fiel auf Cooper, der in der Salontür
stand.

»Das ist Mr. Cooper, er hat das Boot gechartert.«

»Na gut, Sir, dann wollen wir mal sehen, was er von Calais mitgebracht hat.«

Die beiden Männer gingen hinunter, ihr Gespräch wurde vom Dröhnen der Maschinen übertönt. Nach kurzer Zeit stand der Zöllner wieder oben, das runde Gesicht genauso freundlich wie zuvor. Vivian konnte sich nicht länger beherrschen. »Woher wußten Sie, daß wir von Calais kommen?« forschte er.

»Hab' ich das gesagt?« Die Miene des Zöllners wurde ausdruckslos. »War wohl nur eine Vermutung. Schließlich machen die meisten Yachten dort Station.« Er gab ihm die Schiffspapiere zurück und grüßte, während sein Boot sich heranschob. »Schön, daß Sie eine ruhige Überfahrt hatten. Vielleicht sehen wir uns eines Tages wieder.« Dann war er verschwunden.

Vivian schnaubte ungeduldig. Diese verdammten Zöllner, er fühlte sich in ihrer Gegenwart immer unsicher. Nach einem verächtlichen Blick in Coopers Richtung, der eifrig seine Nägel betrachtete, konzentrierte er sich wieder darauf, das Boot zu steuern.

Damit er es zum Westend Londons nicht so weit hatte, wählte er einen Liegeplatz vor der Chelsea-Pier. Nachdem er sich vergewissert hatte, daß die Festmacherleinen zur Boje gut standen, lud er Coopers Gepäck ins Beiboot. Der Fluß stank nach Schlick, Öl und Ruß; mißbilligend rümpfte Vivian die Nase.

»Vorsicht«, meinte Cooper. »Lassen Sie die Koffer nicht ins Wasser fallen!«

»Ich hab's eilig«, knurrte Vivian. »Ich will im Büro sein, bevor es schließt. Muß mit Felix Lang sprechen.«

Schweigend ruderten sie zum Ufer, suchten sich ein Taxi und fuhren zur Regent Street.

Wie Vivian befürchtet hatte, war das Reisebüro bereits fast verwaist. Nur ein Mädchen stand noch hinter dem langen Tresen. »Tut mir leid, Mr. Cooper, aber Mr. Lang ist bereits gegangen«, sagte es schnell und blickte den kleinen Mann mit schlecht verhehlter Abneigung an.

Cooper zuckte die Achseln. »Na, dann sehe ich ihn eben morgen.«

Vivian beugte sich über den Tresen. »Wo kann ich ihn erreichen? Es ist dringend. Würden Sie mir bitte seine private Telefonnummer geben?«

Die Verkäuferin blickte Vivian an, und ihr gefiel offenbar, was sie sah. »Nun, wenn es *so* dringend ist«, lächelte sie, »dann kann ich Ihnen verraten, daß er auf einen Drink zu Mr. Mason gegangen ist.«

»Diesen Mason kenne ich wohl nicht«, bohrte Vivian vorsichtig weiter. »Könnten Sie mir seine Nummer sagen?«

»Aber Mr. Mason ist doch einer unserer Direktoren«, erwiderte das Mädchen überheblich und kritzelte etwas auf einen Zettel. »Hier, versuchen Sie's.« Sie deutete auf das Telefon.

Vivian nahm den Hörer und drehte sich zu Cooper um, aber der war schon verschwunden. Achselzuckend wählte er die Nummer und fragte sich, was er Lang sagen sollte.

Dieser meldete sich kurz angebunden. Im Hintergrund wurde eine Tür geschlossen.

»Was ist los, Philip? Von wo sprichst du? Ist alles glattgegangen?«

»Aus deinem Büro. Ich bin auf der Rückreise direkt nach London gefahren, damit wir uns unterhalten können.« Vivian ließ seine Worte wirken. »Ich mache mir über ein paar Dinge so meine Gedanken.«

»Na schön, aber nicht am Telefon, alter Junge. Komm doch auf einen Drink her: Stafford Court Nr. 7, geht von der Curzon Street ab.« Nach einer Pause wiederholte er besorgt: »Aber es ist doch alles glattgelaufen, oder?«

»Ja. Für meinen Geschmack sogar zu glatt. Deshalb wollte ich mit dir reden, Felix.«

»Na, dann komm schnell her.«

Vivian nickte der Verkäuferin zu und verließ das Gebäude. Lang war also besorgt, dachte er, während er vor dem chromblitzenden Lift in der luxuriösen Halle des Stafford Court wartete, einem der teuersten Apartmentblocks im Westend. Wie groß war wohl sein Unternehmen, wie lange lief schon der illegale Devisenhandel mit Dollars – und vor allem: Wie lange sollte er noch weitergehen?

Der Aufzug glitt lautlos in den zweiten Stock, Vivian trat in eine halbkreisförmige, geschmackvoll ausgestattete Vorhalle. Zwei Türen gingen von ihr ab, eine mit der Aufschrift *Mason, M. C.* Er klingelte.

Sofort wurde ihm von einem großen, dünnen Mann in weißem Jakkett und schwarzer Hose geöffnet: ein Butler. Aber noch bevor er nach Vivians Begehr fragen konnte, wurde er energisch zur Seite geschoben, und Lang erschien.

»Alles in Ordnung, Morrie, besorg uns ein paar Drinks.« Der seltsame Butler verschwand geräuschlos, Lang machte mit dem Kopf eine einladende Bewegung.

»Komm mit, Philip.« Er öffnete die Tür zu einem kleinen Nebenzimmer. »Wo liegt der Hase im Pfeffer?«

Vivian steckte die Hände in die Jackentaschen.

»Diese Ladung«, begann er, »bestand nicht aus dem, was ich erwartet hatte, Felix. Um genau zu sein, handelte es sich um amerikanische Banknoten. Wußtest du das?« Er wartete.

Lang zuckte mit den Schultern und schien irgendwie in sich zusammenzufallen. Hilflos spreizte er beide Hände. »Wie bist du dahintergekommen? Ich hab' dir doch gesagt, daß du keine Fragen stellen sollst.«

Vivian merkte, daß er zitterte. »Also hast du's gewußt, verdammt! Was denkst du, wie mir jetzt zumute ist?«

Lang trat zum Fenster und blickte auf den Verkehr hinunter. Als er antwortete, klang seine Stimme müde und tonlos. »Du solltest nicht davon erfahren, weil ich dich sehr schätze. Das weißt du. Aber ich stecke in der Sache so tief drin, daß ich mir selbst nicht mehr helfen kann.«

»Du scheinst dieses Leben aber zu genießen. Jedenfalls hatte ich den Eindruck, als wir uns das letzte Mal trafen.«

»Genau das ist es! Ich *genieße* mein Leben, kannst du das nicht verstehen?« Langs Stimme klang bittend. »Ich habe jetzt alles, was ich mir wünsche, aber ich bin nicht mehr Herr meiner Entschlüsse . . . Ach, es ist hoffnungslos. Ich kann dir das alles nicht erklären.«

»Wie auch immer, Felix, ich will raus aus diesem Spiel, egal, wie es heißt. Und zwar sofort!«

Lang lachte, aber es klang nicht sehr höflich. »Natürlich. Nur hast du keine Ahnung . . .« Nach kurzer Pause fuhr er fort, als ob er zu einer Entscheidung gekommen wäre: »Gut, geh jetzt. Ich werde es schon irgendwie drehen.«

»Danke. Aber worum geht's dabei, Felix? Wer oder was ist so mächtig, daß du damit nicht fertig wirst?« Noch nie hatte er Lang so niedergeschlagen gesehen.

Sein ehemaliger Vorgesetzter blickte ihn durchdringend an. »Ich hatte eine Idee und hoffte, damit aus diesem Nachkriegsschlamassel herauszukommen. Doch dazu hätte ich deine Hilfe gebraucht, so dringend wie nie zuvor.« Er lächelte reumütig. »Ich hoffte, daß wir zusammen aus der Sache rausrutschen könnten, Philip.« Als Vivian nicht antwortete, zuckte er wieder mit den Achseln. »Aber allein kann ich es nicht schaffen, soviel ist sicher.«

»Felix, wir haben ein paar ziemlich unangenehme Dinge zusammen erlebt, was also, um Himmels willen, hat dich so in den Klauen, daß du damit nicht fertig wirst? Und warum hast du mir das alles nicht schon beim ersten Mal erzählt? Du weißt doch, daß es nicht meine Art ist, mit Geheimnissen hausieren zu gehen!«

Lang blickte schnell zur Tür, dann senkte er die Stimme. »Gegenüber anderen bleibst du dabei: Du weißt nicht mehr, als ich dir vor dem Trip erzählt habe. In Ordnung?«

Vivian nickte stirnrunzelnd.

»Gut, dann laß uns hineingehen und etwas trinken. Spiel weiter den Unschuldigen, und hinterher gehen wir zu mir, dann erzähle ich dir die ganze Geschichte.« Er blickte gespannt in Vivians Gesicht. »Was sagst du dazu?«

»Meinetwegen. Du hast dafür gesorgt, daß ich mein Boot behalten kann, außerdem kenne ich dich lange genug, um zu wissen, daß du nicht herumläufst und Hirngespinste verbreitest. Aber die Dollars, warum mußten es ausgerechnet Dollars sein?«

Auf dem Flur war ein leises Geräusch zu hören, Lang schüttelte den Kopf. »Später, alter Junge«, flüsterte er.

Die Tür öffnete sich, und Vivian starrte die Frau an, die in ihrem Rahmen stand. Sie hatte rotes Haar, einen feuchten, spöttischen Mund, und die Kurven ihrer vollen Figur wurden von dem leichten, schulterfreien Sommerkleid nur knapp verhüllt. Schmollend spitzte sie den Mund, glitt an Langs Seite und legte ihm eine Hand mit rotlackierten Nägeln auf den Arm.

»Felix, Darling«, ihre Stimme war ein sanftes Schnurren, »ich hab' mir Sorgen um dich gemacht. Wann kommst du wieder rein?« Die ganze Zeit ließen ihre Augen Vivians Gesicht nicht los.

Lang entspannte sich. »Das ist mein alter Kamerad Philip Vivian. Ich hab' dir viel von ihm erzählt.«

Sie näherte sich Vivian und reichte ihm die Hand. »Aber nicht, daß er ein so attraktiver Bursche ist.«

Vivian errötete und sah Lang breit grinsen.

»Sie heißt Janice, Philip, und ist eine besonders gute Freundin von mir.« Offensichtlich hatte sich Lang wieder gefangen.

Vivian, der lange nicht in weiblicher Gesellschaft gewesen war, fühlte sich hölzern und ungeschickt. So nickte er nur stumm und genoß Janices Nähe, ihre fast animalische Wärme.

»Auf geht's, Kinder«, rief Lang munter, »an die Pullen!«

Das große Wohnzimmer war bequem und sorgfältig möbliert. Helle Farben dominierten, überall waren Lampen aufgestellt. Ein Radio- und Schallplattenschrank dröhnte moderne Tanzmelodien, Platten lagen nachlässig auf dem Teppich verstreut. Hinter einer kleinen Bar mit einer Glasplatte als Theke stand ein großer, grauhaariger Mann mit schmalem, blassem Gesicht und füllte großzügig Whisky in leere Gläser. Als das Trio eintrat, blickte er auf. Vivan bemerkte den schnellen wachsamen Blick, der auf harte Lebenserfahrung schließen ließ. Die Augen waren so grau und flach wie kleine Kiesel. Zusammen mit dem schmallippigen Mund vermittelten sie den Eindruck von Kompromißlosigkeit.

Der andere Anwesende saß still in einem tiefen Sessel. Als er sich zur Vorstellung erhob, sah Vivian, daß sich sein gebräuntes Gesicht dabei kurz vor Schmerz verzog. Es war von tiefen Falten durchzogen, obwohl er ziemlich füllig gebaut war. Seine klaren blauen Augen hatten einen milden, traurigen Blick und schwere Lider. Der eine Mundwinkel war zu einer permanenten Grimasse nach unten verzogen, was dem Mann etwas Schrulliges verlieh.

Lang steuerte Vivian in seine Richtung. »Philip Vivian, ich möchte dich deinem neuen Arbeitgeber Mr. Jensen vorstellen.«

Die lange, weiche Hand hatte einen erstaunlich festen Druck, und als Vivian nach unten blickte, sah er, daß unter der weißen Haut ein Netz blauer Adern verlief. Das war die Hand eines Künstlers, dachte er. Jensens Stimme war sanft, aber klar, und der dänische Akzent verlieh ihr einen besonderen Charme.

»Freut mich, Sie kennenzulernen, Mr. Vivian. Ich bin sicher, daß wir gute Geschäfte zusammen machen werden, aber im Augenblick wollen wir nicht über so Profanes sprechen. Erzählen Sie mir lieber von Ihrem wunderbaren Boot.« Er wandte sich dem Mann an der Bar zu. »Das ist Andrew Mason, mein Partner. Gib ihm einen Drink, Andrew.«

Mason nickte Vivian kurz zu und fragte Lang wie nebenbei: »Alles klar, Felix? Keine Probleme, oder?«

»Nein, alles in bester Ordnung«, erwiderte Lang kurz angebunden. »Philip kam nur vorbei, um mir zu berichten, daß es gut gelaufen ist.«

Mason stellte das Glas sorgfältig auf einen kleinen Untersatz. »Wir wußten gar nicht, daß Sie nach London zurückkehren wollten.« Seine hochgezogenen Augenbrauen machten eine Frage daraus.

»Ich hatte hier noch ein paar Kleinigkeiten zu klären«, erwiderte Vivian ruhig.

»Kommen Sie hier herüber, mein Junge«, befahl Jensen gut gelaunt, »und erzählen Sie mir von Ihrem Boot. Es wäre reine Zeitverschwendung, mit Mason über Schiffe zu reden, er ist ein alter Landser.«

Vivian setzte sich neben den älteren Mann und verbarg mühsam seine Verwirrung.

Jensen legte ihm die Hand auf den Arm. »Noch einen Augenblick.« Er wandte sich an das rothaarige Mädchen, das vor dem Plattenspieler kauerte, verträumt vor sich hin summte und mit einem Fuß den Takt schlug. »Kannst du diesen fürchterlichen Lärm nicht etwas leiser stellen, Janice?« beschwerte er sich. »Es ist wirklich nicht auszuhalten.«

Sie schmollte, schaltete aber die Musik aus. Dann zog sie die Knie unters Kinn und konzentrierte sich auf Vivian. Der stellte schon nach kurzer Zeit fest, daß Jensen nicht nur ein höflicher Zuhörer war, sondern auch etwas von Booten verstand. Von Zeit zu Zeit unterbrach er ihn nämlich mit Fragen technischer Natur.

»Sie wissen wohl viel über die Seefahrt, Sir?« fragte Vivian schließlich.

»Ach, mein Junge, es gab eine Zeit, bevor ...« Jensen schüttelte traurig den Kopf. »Vor vielen Jahren in meiner alten Heimat. Dort lebten wir am Ufer einer großen Förde. Sooft ich Zeit fand, ging ich mit meiner Jolle segeln. Und manchmal auch angeln.«

Lang lachte ein wenig zu laut. »Noch einen Drink, alter Junge?«

Janice war wie der Blitz auf den Beinen und griff nach Vivians leerem Glas. Sie brachte es ihm gefüllt, und dabei beugte sie sich so tief zu ihm hinunter, daß der Blick in ihr Kleid ihn noch stärker verwirrte.

Die Tür öffnete sich, und Morrie, der seltsame Butler, wartete höflich, bis ihn Jensen bemerkte. »Ihre Nichte ist gerade gekommen, Sir«, meldete er dann steif.

Jensen wurde wieder lebendig, ein stilles Lächeln erschien auf seinen Zügen. »Ist es schon so spät? Ich habe Karen gebeten, mich abzuholen.« Er wandte sich an Vivian. »Wir leben außerhalb von London, und Karen besteht darauf, mich zeitig nach Hause zu fahren.« Er kicherte. »Vermutlich werde ich alt.«

Als die Tür geöffnet wurde, stählte sich Vivian innerlich, weil er eine zweite Janice erwartete. Aber alle seine guten Vorsätze verflogen, als Karen Jensen energisch ins Zimmer trat. Sein Mund wurde trocken, sein Herz pochte heftig, denn sie war nicht nur hübsch, sondern eine nordische Schönheit. Ihr glattes Haar, das lang und lose über ihre Schultern fiel, war so hellblond, daß es im Licht der Lampen wie Silber glänzte. Es umrahmte ein ovales Gesicht, das von den klarsten blauen Augen beherrscht wurde, die Vivian je gesehen hatte. Ihr schlanker, gut proportionierter Körper vermittelte den Eindruck von Wärme und Kühle zugleich. Sie trug ein schlichtes Kleid, das aber sehr teuer aussah.

Vivian kam unbeholfen auf die Füße und blickte in Karens amüsierte Augen. Ein unbekanntes Kribbeln strahlte von seiner Magengrube aus, als er den warmen, honigfarbenen Ton ihrer Haut bewunderte.

»Du hast schon wieder eine Eroberung gemacht, Karen«, lachte Jensen, der Vivians Reaktion beobachtet hatte. Zu ihm gewandt, fuhr er fort: »Lassen Sie bloß die Hände von ihr, mein Junge, sie ist zu teuer. Ich kann das beurteilen.«

Karen lächelte mit ebenmäßigen, weißen Zähnen. »Sei nicht albern, Onkel. Der Geldverschwender von uns beiden bist *du*.«

Ihre Stimme ließ Vivians Blut stocken, denn auch sie hatte den faszinierenden dänischen Akzent. Beschämt wurde er sich seines schäbigen Jacketts und seiner ausgelatschten Schuhe bewußt.

»Schade, daß du nicht früher gekommen bist, meine Liebe«, meinte Jensen, während ihm Karen auf die Füße half. »Philip hat uns von seinem schönen Boot erzählt.«

Sie drehte sich zu Vivian um und blickte ihn mit großen Augen an. »Wie heißt es?«

»*Seafox*«, antwortete Vivian heiser.

»Ein schöner Name«, meinte sie nachdenklich. »Ich sollte es mir eines Tages ansehen.«

»Vielleicht wollen Sie und Mr. Jensen es besichtigen, solange es in London liegt.«

Vivians Stimme mußte fast bittend geklungen haben, denn Karen lachte hell auf. Aber dann legte sie ihm eine kleine braune Hand auf den Arm, als wolle sie ihm zu verstehen geben, daß sie sich nicht über ihn lustig gemacht hatte, und blickte ihn ernst an. »Ja, wir werden versuchen, es einzurichten.«

Damit drehte sie sich um und verabschiedete sich von Mason und Lang. Mit heißen, mißtrauischen Augen verfolgte Vivian jede ihrer Bewegungen. Erst als sie mit ihrem Onkel verschwunden war, entspannte er sich wieder.

Während sich Lang und Mason in einer Ecke unterhielten, nippte er an seinem Drink und sah, daß Janice ihn beobachtete.

Sie zog eine Grimasse. »Es ist die Hölle, nicht wahr?« flüsterte sie. Vivian bemerkte, daß sie einen Ehering trug.

Er lächelte sie an. Es drängte ihn, mit jemandem zu sprechen. »Hat man es mir so deutlich angesehen?«

»Kaum!« lachte sie. »Ich fürchtete schon, daß Sie ihr auf der Stelle einen Antrag machen würden.« Sie unterbrach sich. »Aber Sie vergeuden Ihre Zeit. Karens einziger Lebenszweck ist es, den alten Jensen zu pflegen. Natürlich sorgt er dafür, daß es ihr an nichts mangelt . . . An nichts außer einem Mann. Und ich sitze hier und schlage mich mit zwei Kerlen herum!«

Verdutzt schüttelte Vivian den Kopf. »Wie ich sehe, sind Sie doch verheiratet.«

»Ja, ich bin Mrs. Mason.« Sie wandte sich wieder dem Plattenspieler zu.

Vivian ordnete seine Gedanken. Janice war also Mrs. Mason, aber zweifellos zugleich auch die Frau, mit der Lang schlief. Die meisten Menschen, die er in letzter Zeit kennengelernt hatte, waren in zwielichtige Geschichten verstrickt, obgleich sie alle nicht aussahen wie . . . Er war ganz durcheinander. Wie sahen denn Schmuggler und Ehebrecher aus? Ein eiskaltes Gefühl kroch ihm den Rücken hoch. Vielleicht gehörte auch Karen dazu? Aber nein, das war zu abwegig. Felix wird mir alles genau erklären, erinnerte er sich.

Lang berührte seinen Arm. »Komm, alter Junge, wir gehen jetzt und lassen diesen Leuten ihren ungestörten Feierabend.«

Vivian warf einen schnellen Blick zu Janice hinüber, aber die schien in ihre Schallplatten versunken zu sein.

Während sie im Lift hinabschwebten, sagte Lang: »Du bist gut angekommen, alter Junge.« Die Türen öffneten sich lautlos vor ihnen. »Aber ich bin froh, daß wir gegangen sind, diese Bande geht mir immer mehr auf den Geist.«

Vivian blickte ihn überrascht an. »Ich dachte, du bist bei Mason wie zu Hause?«

»Wie ich schon sagte, es ist ein fürchterliches Durcheinander. Aber ich werde dir gleich alles erklären.« Plötzlich wurde er wachsam. »Oh, verdammt!« Ein Polizist stand neben Langs geparktem Bentley und blickte auf, als sich die beiden Männer näherten.

»Ist das Ihr Wagen?« fragte er kriegerisch.

»Entschuldigen Sie, Officer«, entgegnete Lang fröhlich. »Ich habe wohl vergessen, das Parklicht einzuschalten.« Er lächelte entwaffnend. »Tut mir aufrichtig leid. Ich bin sicher, daß Sie wichtigere Dinge zu tun haben, als für alte Idioten wie mich Kindermädchen zu spielen.«

Der Polizist war überrascht; er trat von einem Fuß auf den anderen und hüstelte. »Nun, Sir, Sie wissen ja, wie das ist...«, begann er wichtigtuerisch.

»Weiß ich, weiß ich, alter Junge.« Lang nickte verständnisinnig und streckte die Hand aus. »Hier, gönnen Sie sich einen Feierabenddrink.«

Eine Pfundnote verschwand in der Hand des Polizisten, der entschuldigend lächelte. »Danke, Sir. Ich hoffe, Sie denken nicht...«

Lang winkte großzügig ab und öffnete die Wagentür. »Schon gut, alter Junge, schimpfen wir lieber zusammen auf die Regierung.«

Er schob seinen schweren Körper hinters Steuer, und Vivian kletterte auf den Beifahrersitz. Der Wagen glitt aus der Parklücke. Lang blickte in den Rückspiegel. »Bastard!« murmelte er voll kalter Wut.

Mit gespielter Überraschung blickte ihn Vivian an. »Machst du das immer so?«

»Ich kann es mir nicht leisten, Polizisten gegen den Strich zu bürsten. Sonst könnte es passieren, daß sie mir im Wege stehen, wenn ich nicht nur einen Höflichkeitsbesuch mache.« Lang kicherte. »Unsere Polizei ist schon komisch, Philip. Die Hälfte der Fahrer, die Strafmandate bezahlen, bekommen sie aufgebrummt, weil sie mit den Bullen streiten. Das ist eine Tatsache, alter Junge.«

»Ein bißchen gefährlich, diese Bestechung, nicht?«

Lang lachte freudlos. »Hast du je gehört, daß ein Autofahrer wegen versuchter Beamtenbestechung belangt worden ist? Natürlich nicht!«

Schweigend fuhren sie durch den dichten Verkehr. Plötzlich wandte Lang den Kopf zu Vivian. »Wenn es dir nichts ausmacht, fahren wir lieber zu deinem Boot.«

»Meinetwegen. Aber warum?«

»Ich würde es gern sehen, schon wegen der alten Zeiten. Wir können etwas trinken und dabei alles besprechen.«

Wieder versanken sie in Schweigen, und Lang kutschierte den Bentley gewandt nach Chelsea. An der Pier ließen sie den Wagen stehen und stiegen in Vivians kleines Dingi, das gefährlich schwankte, als sich Lang ins Heck setzte. Im Dunkeln mußte Vivian lächeln. Lang schien sich wie ein Kind darüber zu freuen, wieder an Bord gehen zu können.

»Nicht schlecht, wirklich nicht schlecht«, kommentierte er, als Vivian die Tür zum Ruderhaus aufschloß und das Licht anschaltete.

Auch ihm begann es Spaß zu machen, Lang die Yacht zu zeigen. Als dieser am Ruder stand und prüfend auf den beleuchteten Kompaß blickte, fühlte er sich in die Vergangenheit versetzt: Der Flottillenchef in Ölzeug und Südwester, das Gesicht undurchdringlich. Dann der Befehl: »Feuer frei!« Unbeweglich stand er an der Brückenverschanzung, während die feindlichen Leuchtspurgarben vorbeizischten.

Überrascht blickte Lang in Vivians geistesabwesendes Gesicht.

»Was ist los, Philip? Du siehst aus, als ob du ein Gespenst gesehen hättest.«

Vivian schlug die Augen nieder. »Ich mußte an alte Zeiten denken, Felix.«

Lang hieb ihm auf die Schulter. »Wenn es dir ein Trost ist, alter Junge: ich auch.« Er grinste reuig. »Ich fürchte, das ist alles aus und vorbei. Für Männer wie uns wird es niemals wieder so ein Leben geben.« Er blickte in den Salon und rieb sich die Hände. »Also, wo ist der verdammte Drink, von dem ich gesprochen habe?«

Vivian kramte seine letzte Flasche Gin und zwei Gläser hervor. Während er nach dem Bitter suchte, füllte er eine kleine Karaffe mit Wasser. »Eigentlich ist das nur für zahlende Passagiere. Aber du hast ja deinen Anteil eingebracht.«

Sie tranken langsam, und Vivian wartete darauf, daß der andere begann. Lang starrte brütend in sein Glas, dann hob er plötzlich den Kopf und warf einen scharfen Blick über den Tisch. Seine Augen waren ernst.

»Na gut, mein Junge, ich will dir die ganze Geschichte erzählen. Und bitte glaub mir, daß ich auf dein Urteil Wert lege, wie immer es auch ausfallen mag.«

Vivian beugte sich gespannt vor.

»Wie ich schon sagte . . .«, Lang machte eine unbestimmte Bewegung mit dem Glas, »begann alles damit, daß ich den alten Jensen und seine Nichte aus dem besetzten Dänemark herausschmuggelte. Karen war damals noch ein Kind . . . Kurz nach dem Krieg traf ich Jensen hier in London zufällig wieder, in einem Museum. Wir kamen ins Gespräch, und ich landete schließlich in seinem Haus, einem schönen alten Gebäude in Hampton Court, direkt am Fluß. Karen war auch da, allerdings erkannte ich sie kaum wieder. Sie hatte in den vergangenen Jahren eine englische Schule besucht und war in einem behüteten Zuhause aufgewachsen. Jedenfalls war sie nicht mehr das Häuflein Haut und Knochen, das meine Matrosen damals an Bord gehoben hatten.«

Lang machte eine Pause, während Vivian mit zitternden Händen die Gläser nachfüllte. Felix hatte seinen wunden Punkt getroffen, als er Karen erwähnte.

»Später entschlossen wir uns, gemeinsam diese Reiseagentur aufzuziehen. Zuerst ging sie nicht sonderlich gut, was bei den Reisebeschränkungen und der allgemeinen Geldknappheit kein Wunder war. Aber schließlich begann der Laden zu laufen, und ich dachte schon, diesmal auf der Sonnenseite gelandet zu sein.« Er runzelte die Stirn, als ob ihn eine Erinnerung bedrücke. »Dann bestellte mich Jensen eines schönen Tages zu sich. Und in seinem Haus traf ich wieder diesen Mason.« Er schwieg.

»Kanntest du ihn denn?« fragte Vivian.

»Kennen – ihn?« Lang lachte rauh. »Das kann man wohl sagen. Als ich seinerzeit nach Kriegsende in Deutschland stationiert war, erwartete ich wie alle, mit einem Tritt aus der Navy verabschiedet zu werden. Um meine Landung etwas zu polstern, verschob ich das übliche, eben Diesel, Verpflegung, du weißt schon, auf dem schwarzen Markt. Das war nicht gerade die feine Art, aber ich war ziemlich pleite und hatte keine Ahnung, wovon ich als Zivilist leben sollte. Jedenfalls gehörte dieser Mason damals der Militärpolizei an, und um eine traurige Geschichte kurz zu machen – er schnappte mich.«

»Aber du bist doch ehrenhaft aus der Marine entlassen worden!« warf Vivian ungläubig ein. »Ich hab's in der Zeitung gelesen.«

Lang blieb nachdenklich. »Wir erzielten eine Übereinkunft, alter Junge, er hielt die Beweise zurück. Das war's dann, zumindest dachte ich das. Du kannst dir meine Gefühle vorstellen, als ich ihn beim alten Jensen wiedersah.«

Vivian packte die Sofalehne, um seine Ungeduld zu zügeln. Der Gin, den er auf leeren Magen getrunken hatte, bekam ihm nicht. Aber er beherrschte sich und hörte weiter zu.

»Damals erfuhr ich«, murmelte Lang, »daß Mason schon seit einiger Zeit Jensens stiller Teilhaber war, aber bisher nicht gewußt hatte, daß ich für die Firma arbeitete. Nun meinte Jensen, ich müßte ihm helfen, Geld außer Landes zu bringen. Es schien sehr dringend zu sein, denn Mason mischte sich ein und drohte, mich wegen der Vorfälle damals in Deutschland anzuzeigen; die Beweise hatte er noch. Du kannst mir glauben, alter Junge, ich war völlig fertig. Jensen schlug vor, mich mit einer fairen Summe zu beteiligen, das traf mich so unerwartet, daß ich nicht wußte, was ich sagen sollte. Ich konnte wählen zwischen dem schnellen, aber schmutzigen Geld und dem Kittchen. Danach hätte kein Hund mehr von mir einen Knochen angenommen.« Wehmütig schüttelte er den Kopf. »Ich wollte Zeit gewinnen, also brachte ich ein paarmal Dollars über den Kanal nach Frankreich. Mason verfügte dort über Verbindungsleute, die das Geld übernahmen und dafür Grundstücke aufkauften. Es ist und bleibt eine Tatsache, daß er mich in der Hand hat, und ich kann ihm bis heute nichts von seinen dreckigen Geschäften nachweisen. Außerdem möchte ich Jensen nicht mit hineinziehen, der soviel für mich getan hat.«

»Ich hab' immer noch nicht verstanden, Felix: warum Dollars?« bohrte Vivian nach.

Lang atmete tief ein. »Bleib ruhig, alter Junge. Die Dollars«, fuhr er langsam fort, »die Dollars sind Blüten. Sie sind samt und sonders gefälscht!«

Vivian stieß einen leisen Pfiff aus, seine Verblüffung war ihm von der Stirn abzulesen. »Bei allen Heiligen, Felix, das ist ja ein tolles Ding!« Er lehnte sich zurück, plötzlich ganz entspannt.

Lang fuhr in seiner Erzählung fort, seine Stimme klang jetzt aufgeregter. »Jensen hat mehrere Jahre in einem deutschen KZ gesessen, weil er ein hervorragender Kupferstecher war. Er sollte dort Druckplatten für Pfundnoten herstellen, mit dem die Nazis Falschgeld in Mengen produzieren wollten, um hier im Lande eine galoppierende Inflation anzuheizen. Aber weil Jensen nicht kooperativ war, verlegten sie sich auf die amerikanische Währung. Ohne Zweifel dachten sie schon weiter. Und um ihm auf die Sprünge zu helfen, schlachteten sie seine Frau und sein Kind ab.«

»Das war es also, was ihn heute nachmittag so bedrückte!«

»Seinem Bruder und ihm gelang es zu flüchten. Sie schlugen sich zur dänischen Küste durch, wo sie sich versteckten. Während eines unserer Einsätze dort fischten wir ihn und ein paar andere arme Teufel auf, die mit einem alten Fischerboot zu entkommen versuchten. Sein Bruder war ein paar Tage zuvor getötet worden, so blieb ihm nur Karen. Er hatte aber das ganze Fälscherbesteck gerettet, zusammen mit den Druckplatten.« Lang lehnte sich zurück und nickte. »Ich wußte, daß dich das abstoßen würde.«

»Er verbreitet die Blüten schon lange?« Vivians Stimme klang dumpf.

»Natürlich. Als allmählich Geld aus dem Reisebüro reinkam, richtete er sich im Keller seines Hauses eine Werkstatt ein. Ich habe sie gesehen. Dort stellte er neue, bessere Druckplatten her, während dieser Bastard Mason immer effektivere Pläne ausheckte, wie das Geld in Umlauf gebracht werden konnte. So liegt der Fall, mein Junge. Noch Fragen?«

Vivian griff nach der Flasche. Als er feststellte, daß sie leer war, stand er auf und lief auf und ab. Lang beobachtete ihn gespannt.

»Daran werde ich lange zu kauen haben, Felix. Es ist kaum zu fassen.« Er fuhr sich mit den Fingern durchs Haar. »Aber bis jetzt hast du mir noch nicht erklärt, wie ich dir helfen soll. Ich bin eher der Meinung, je weniger ich weiß, desto besser ist es für mich.«

Lang beugte sich vor und blickte ihn ernst an. »Nur noch ein paar Trips, und wir haben genug Moos. Danach . . .« Er spreizte die Finger. »Wer will wissen, was dann passiert? Meiner Meinung nach wird die Sache langsam heiß, man sollte sie daher abblasen. Wenn ich Jensen überzeugen kann, daß wir genug Geld gemacht haben und die Chose zu gefährlich wird, muß er die Platten zerstören. Keine Druckplatten – keine Bande! So einfach ist das.«

»Was wird Mason dazu sagen?«

»Tja, er ist der Boss. Ich vermute, daß er Jensen in der Hand hat. Der Alte ist froh, daß Mason alle Fäden zieht und die Geldquelle sprudeln läßt.« Lang lächelte müde. »Wie du schon gemerkt hast, verstehe ich mich gut mit Masons Frau, sie ist ein süßes Kind. Sollte ich heil aus diesem Schlamassel rauskommen, wird sie mit mir gehen. Im Augenblick ist sie mein Späher im Lager des Feindes.«

»Und ein weiteres Risiko.«

»Das ist richtig. Aber was soll's? Also – bleibst du und hilfst mir? Sollten wir auffliegen, brauchst du nur bei der ersten Version zu bleiben, die ich dir erzählt habe, dann steckt dein Hals nicht allzu tief in der Schlinge.« Er hieb auf den Tisch. »Aber wir werden nicht auffliegen! Wir müssen nur die Platten in die Hand bekommen und vernichten!«

»Könnte Jensen neue anfertigen?«

»Niemals, alter Junge. Ich nehme an, daß auch er gern Schluß machen möchte. Nachdem Karen die Schule absolviert und geholfen hat, die Auslandsfilialen der Reiseagentur aufzubauen, kümmert sie sich mehr um ihn. So fällt es ihm immer schwerer, heimlich das Papier und alles andere für seine kleine Werkstatt zu besorgen.«

Vivians Herz pochte. »Also gehört Karen nicht zur Bande?«

»Nein. Jensen tut alles nur ihr zuliebe, sie ist sein ein und alles. Er läßt sie in dem Glauben, daß er in seiner Werkstatt die Plakate entwirft, die dir so gut gefallen.«

Vivian blickte aus dem Bulleye, damit Lang nicht den Hoffnungsschimmer in seinen Augen sehen konnte. Natürlich war es verrückt, aber wie sonst sollte er in Karens Nähe bleiben? Er drehte sich entschlossen um.

»Also gut, ich bin dabei!« rief er mit solcher Vehemenz, daß Lang zusammenzuckte. »Und sei es nur, um das Mädchen aus der Sache herauszuhalten!«

Langs Stimme zitterte vor Bewegung. »Du hilfst mir also wirklich? Mein lieber Philip, ich wußte, daß du mich nicht hängen läßt.« Seine Augen leuchteten. »Überlege mal, wenn wir erst noch so ein Boot wie dieses haben und dann noch eins . . . Wir könnten ein tolles Geschäft aufbauen. Wir werden nicht ruhen oder rasten, aber jeder Fluß hat eben seine Geschichte, wie ein kluger Mensch mal gesagt hat.« Damit erhob er sich.

»Was ist der nächste Schritt?« fragte Vivian, als er ihm ins Dingi half.

»Mach hier einfach weiter. Betanke das Boot, natürlich auf unsere Rechnung. Ich sage Jensen, daß du bei uns auf der Gehaltsliste stehst, aber von nichts weißt, okay?«

Das Dingi stieß gegen die Pier, Lang griff nach der Leiter.

»Und was ist mit dem Bastard Cooper?« fragte Vivian. »Er hat mir eine merkwürdige Story über meinen Vorgänger Patterson erzählt.«

Lang brummte: »Cooper ist ein verdammter Idiot. Ein nützliches Werkzeug, aber man darf ihm nicht trauen. Er ist einer von Masons Importen.«

Bevor er sich zum Gehen wandte, rief Lang leise zum Boot hinunter: »Nochmals vielen Dank, Philip. Jetzt habe ich wieder Hoffnung.«

Vivian wartete, bis der Wagen davongebrummt war, dann pullte er zur *Seafox* zurück. Er war verrückt, sagte er sich, unrettbar verrückt. Aber die Schwierigkeit der Sache reizte ihn. Und dann war da immer noch der Gedanke an Karen.

3

Das schmutziggelbe Wasser der Themse gurgelte und strudelte, als die Tide zu kentern begann. Das treibende Feld aus alten Fässern, Balkenresten und Flaschen begann wieder seine Reise zur Flußmündung hinunter. Die Kälte war jetzt so durchdringend, als sollte ein für allemal klargestellt werden, daß der Sommer endgültig vorbei war.

Die *Seafox* suchte sich ihren Weg durch das Fahrwasser stromaufwärts und reagierte dabei willig auf jede Ruderlage, um dem treibenden Unrat auszuweichen. Sie glich einer Dame, die mit geschürzten Röcken eine verschmutzte Straße überquert, und sah zwischen den rostigen Leichtern und bulligen Schleppern völlig deplaziert aus.

Vivian stand enstpannt, aber wachsam am Ruder. Er fröstelte, als ein Schwall kalter Luft durch das offene Ruderhaus zog, und verfluchte das triste Grau, den Schmutz und die düstere Stimmung Londons. Er sehnte sich zurück nach Torquay mit seiner salzigen Luft und seinem geregelten, friedlichen Leben. Trostsuchend ließ er den Blick über sein Boot wandern.

Es war perfekt, daran war nicht zu zweifeln. Und es gehörte nicht in diese Umgebung, genausowenig wie er. Nach seinem aufschlußreichen Gespräch mit Lang hatte er geduldig zwei Tage in Chelsea gewartet und sich die Zeit mit Wartungsarbeiten am Boot vertrieben, Proviant gestaut und alles auf Hochglanz gewienert. Aber die meiste Zeit hatte er nachgedacht. Zweimal hatte er Lang angerufen, der ihn angewiesen hatte, sich auf einen neuen Trip über den Kanal einzurichten. Auch mit dem alten Arthur in Torquay hatte er telefoniert und ihm gesagt, daß er sich keine Sorgen machen solle. Und zuletzt hatte er wie befohlen flußabwärts zu den Bunkerbooten verholt und seine Tanks randvoll gefüllt. Jetzt war er wieder auf dem Rückweg nach Chelsea, um weiterhin nutzlos zu warten, bis sich irgend jemand entschloß, auf dem großen Schachbrett einen neuen Zug zu wagen.

Der helle Umriß einer Segeljolle löste sich von einem vertäuten Leichter und überquerte den Fluß im rechten Winkel. Bei dem frischen Wind zog das Schandeck in Lee durchs Wasser und warf einen feinen Gischtvorhang auf. Die beiden Insassen ritten auf der hohen Kante aus, die Öljacken glänzend vor Nässe. Vivian schätzte die sich schnell verringernde Distanz und versuchte, den nächsten Kreuzschlag des kleinen Bootes vorauszusehen. Sogar aus der Ferne konnte er erkennen, daß einer der Segler eine Frau war. Sie trug eine bunte Mütze, ihre Zähne leuchteten weiß, als sie vor Erregung lachte. Da er ihnen den Spaß nur ungern verderben wollte, gab er einen kurzen Ton mit dem Signalhorn und drehte das Ruder nach Steuerbord. Doch erschrocken merkte er, daß das Boot gewendet hatte und nun direkt auf ihn zuhielt. Alle Segelboote verfluchend, riß er einen Ganghebel nach hinten und wirbelte das Ruder herum. Der Dieselmotor protestierte laut, aber das Boot drehte auf dem Teller und trieb dann quer zum Strom mit der Ebbe ab. Es dauerte ein paar Sekunden, bis er es wieder ausgerichtet hatte. Inzwischen lag die Jolle nur ein paar Meter entfernt auf Parallelkurs. Vivian stieß die Tür des Ruderhauses auf und riß die Flüstertüte aus der Halterung.

»Was, zum Teufel, soll das?« brüllte er hinüber. »Seid ihr auf einen verdammten Crash aus?«

Die Frau drehte sich auf ihrem gefährlichen Sitz herum, eine Wolke blonden Haars umflatterte ihr lachendes Gesicht.

»Aber, aber, Mr. Vivian«, rief sie herüber. »Ist das vielleicht ein angemessener Willkommensgruß?«

Seine Kehle zog sich zusammen, sein Mund wurde staubtrocken. Es war Karen! Nur nebenbei registrierte er das amüsierte Grinsen des Mannes neben ihr, dessen Ellbogen lässig auf der Pinne ruhte. Er war ein junger Bursche, etwa im selben Alter wie Karen, mit frischem Gesicht und dunklen krausen Haaren, die jetzt vom Spritzwasser feucht glänzten.

Verwirrt suchte Vivian nach den richtigen Worten. »Äh – was ist, wollen Sie an Bord kommen?« fragte er schließlich. »Ich wußte ja nicht, daß Sie's sind«, schloß er lahm.

Sie nickte in ihrer ernsthaften Art. »Ich dachte mir schon, daß Sie Ihre Gäste nicht üblicherweise so empfangen, Mr. Vivian.«

Bevor er antworten konnte, sprang sie leichtfüßig an die Fallen, und die Segel wurden ohne viel Aufhebens weggenommen. Die Motoryacht kam zum Stillstand, die Jolle schor längsseits und ließ sich zum Heck sacken, wo sie festgemacht wurde. Während Vivian versuchte, den Flußverkehr im Blick zu behalten, erschienen seine Besucher lachend und atemlos neben ihm.

Die junge Frau kam ihm noch schöner vor als beim letzten Mal. Ihr Gesicht wies jetzt kein Make-up auf und schimmerte golden. Als sie sich mit den Fingern durchs Haar fuhr, begann sein Herz schmerzhaft zu klopfen. Wieder wurde er sich der Anwesenheit des anderen Mannes bewußt. Er war größer als vermutet, annähernd so groß wie er selbst. Die Harmonie seines recht hübschen Gesichts wurde nur durch den arroganten Mund gestört.

»Mein Name ist Muir, David Muir«, stellte er sich gewandt vor. »Tut mir leid, daß wir hier so reingeplatzt sind, aber Karen sah Ihr Boot den Fluß heraufkommen. Ich vermute, daß Sie sich kennen?«

Vivian nickte. Es ging ihm gegen den Strich, daß Muir Karens Vornamen so selbstverständlich benutzte.

Sie trat zurück und blickte amüsiert von einem zum anderen. »Nun, wenn ich mich recht erinnere, haben Sie mich eingeladen, nicht wahr, Mr. Vivian?« Sie drehte sich um und öffnete weit ihre Arme. »Es ist ein wundervolles Boot, findest du nicht auch, David? Ich würde es gern für mich haben.«

Muir grinste abwertend. »Du würdest dir bald wieder etwas mit Segeln suchen, meine Liebe. Das ist ja wie das Fahren in einer Limousine. Stimmt's, Vivian?«

»Man braucht keinen nassen Hintern, um zu beweisen, daß man ein guter Seemann ist«, antwortete Vivian kühl. »Jedenfalls habe ich nicht die Zeit, den ganzen Tag auf der Themse herumzukreuzen!« Aber er bereute seinen Ausbruch sofort. Im spiegelnden Fenster sah er, daß Muir eine Grimasse zog. Schnell wandte er sich dem Mädchen zu. »Wenn Sie wollen, schauen Sie sich ruhig um. Ich muß bis Chelsea hier oben bleiben.«

»Dann warte ich, bis Sie Zeit haben, mich zu führen.« Schnell setzte sie sich auf die Seitenbank und lächelte fröhlich.

Muir zuckte mit den Schultern, ließ sich neben sie fallen und gähnte. Schließlich fragte er gedehnt: »Sie haben sich erst kürzlich kennengelernt, wie?«

Vivian wartete mit der Antwort, bis ein Schleppzug vorbeigezogen war. Er fühlte, daß ihn Karen beobachtete. »Ja, ich habe das Boot an Miss Jensens Onkel verchartert, genauer gesagt an sein Reisebüro«, bemerkte er kurz.

»Hm, ein schöner Job. Jensen ist ein charmanter Mann.« Er warf einen schnellen Blick auf Karen.

Sie tätschelte ihm die Hand, und Vivians Herz zog sich wieder zusammen. »Schon gut, David, schließlich können wir nicht alle so hart arbeitende Makler sein wie du.« Zu Vivian gewandt, fügte sie hinzu: »David und ich sind im selben Segelklub. Segeln macht wirklich eine Menge Spaß.«

Darauf wette ich, dachte Vivian, lächelte aber, wenn auch verkrampft. »Als ich noch bei der Marine war, habe ich auch gesegelt«, begann er, aber seine Worte verhallten ungehört, denn die beiden unterhielten sich schon über vorbeiziehende Segelboote.

Seufzend verbot er sich selbst, närrischen Träumen nachzuhängen. Karen war ein unerreichbares Idol. Das gibt den Ausschlag, dachte er. Ich rufe heute abend Felix an und sage ihm, daß ich nach Torquay zurückfahre.

Karen und ihr Freund kümmerten sich auf dem Vordeck um die Leinen, als *Seafox* an die Festmacherboje vor der Chelsea-Pier glitt. Vivian kuppelte die Getriebe aus und zog die Gashebel zurück. Die Motoren röhrten einmal auf, dann verstummten sie. Nur noch das Klatschen des Wassers an der Bordwand war zu hören.

Plötzlich fühlte er sich müde und ausgebrannt. Bis vor kurzem war das Boot der Mittelpunkt seines Lebens gewesen, auf den alle seine Pläne ausgerichtet waren. Aber als er jetzt den beiden jungen Leuten zuschaute, die spielerisch die Leinen aufschossen, wurde ihm schmerzlich bewußt, was er wirklich wollte und was er am meisten vermißte.

Karens Mütze lag auf dem Cockpitsitz, zerknüllt und feucht. Mit ihm selbst fremder Zartheit hob er sie auf und strich sie glatt. Ein Schatten fiel auf ihn, schnell blickte er auf und sah Karens Umriß sich gegen den grauen Himmel abzeichnen. In ihren Augen lag ein erstaunter, verwirrter Ausdruck. Ihre Lippen waren halb geöffnet, als ob sie etwas sagen wolle, aber die rechten Worte nicht finden könne.

Vivian reichte ihr die Mütze und lächelte, um seine Verlegenheit zu überspielen. Sie nahm sie, aber ihre großen Augen ließen ihn nicht los.

»David rudert jetzt mit der Jolle zur Pier«, sagte sie leise. »Felix Lang wartet an Land im Auto.« Das klang, als ob sie es bedaure.

Da Vivian nicht antwortete, fuhr sie fort: »Es scheint, daß Sie mir das Boot wieder nicht zeigen können?«

»Nein, Sie werden wohl zum Yachtklub zurückwollen.« Wieder stockte er hilflos. Aus den Augenwinkeln sah er die Jolle mit Lang zurückkommen.

Karen begann zu lachen und schüttelte ihre Mähne. »Sie sind wirklich merkwürdig, Mr. Vivian. Erst sind Sie ein großartiger Erzähler, dann werden Sie von einer Sekunde zur anderen stumm wie ein Fisch.« Ernst blickte sie ihn an. »Könnte es sein, daß ich einen schlechten Einfluß auf Sie ausübe?«

»Ach du lieber Gott, nein!« antwortete Vivian unbeholfen. »Ich bin heute nur etwas aus dem Tritt. Bitte verzeihen Sie.«

»Kommt gar nicht in Frage. Warum besuchen Sie uns nicht einfach heute abend? Onkel Nils gibt eine kleine Party. Ich bin sicher, daß er sich freuen würde, mit Ihnen über Boote zu plaudern.«

Vivian strich mit den Handflächen über den Kartentisch. »Ich komme gern, wenn Sie es wirklich wünschen, Miss Jensen.«

»Ich wünsche es«, äffte sie ihn nach, und trotz seiner aufgewühlten Gefühle mußte er lächeln. »David findet es nämlich hochinteressant, mit allen nur über Geschäfte zu sprechen, wissen Sie. Vermutlich ist er der kommende Mann an der Börse.«

Lang schob sich über die Reling, ein breites Grinsen im Gesicht. »Hallo, Philip, alles vorbereitet?«

»Philip wird uns heute abend besuchen, Felix. Kannst du ihn im Wagen mitnehmen?«

»Na klar, kein Problem.«

Vivian hörte der Unterhaltung nicht mehr zu. Die Art, wie Karen seinen Namen ausgesprochen hatte, ließ ihn erschauern.

»Wir lassen die Jolle an der Pier, David«, rief Karen, während sie ihre Jacke zuknöpfte. »Wir können sie dann während der Woche zurücksegeln. Kommst du mit, Felix?«

»Ja. Ich wollte Philip nur Bescheid sagen, daß er in zwei Tagen nach Frankreich hinüber muß.« Er warf Vivian einen schnellen Blick zu. »In Ordnung?«

Vivian nickte, hatte aber nur Augen für das Mädchen.

»Gut, dann geht das klar.« Lang stieg wieder in die Jolle. »Ich hole dich um acht Uhr zur Party ab, alter Junge.«

»Danke.« Vivian blickte ihnen nach, bis sie außer Sicht waren, dann ging er langsam nach achtern. Also wieder nach Frankreich ... Nun ja, vielleicht war alles halb so schlimm. Jedenfalls schien Felix nicht sehr besorgt zu sein. Er stockte, als er eine kleine Brieftasche erblickte, die an der Heckreling lag. Er bückte sich danach. Es war David Muirs Führerschein. Beim Umsteigen in die Jolle mußte er ihn verloren haben.

Die Brieftasche konnte er ihm abends auf der Party zurückgeben, nahm sich Vivian vor. Er wollte sie schon achtlos wegstecken, als er einen weiteren Ausweis entdeckte, der aus festem Karton bestand und hinter dem Führerschein stak. Neugierig zog er ihn heraus – und erstarrte. Sein Herz raste.

Die Ausweiskarte lautete auf Muirs Namen und identifizierte ihn als Fahnder der Königlichen Zollbehörde.

Der Abend war ruhig und warm, nur eine schwache Brise raschelte im Laub der alten Eichen an der Straße. Hinter den Bäumen schlug die große Glocke des Hampton Court Palace an, aber die beiden Männer in dem dunklen, am Straßenrand geparkten Wagen schienen sie nicht zu hören.

Lang saß am Steuer, die Glut seiner Zigarette spiegelte sich in der Windschutzscheibe. Nachdenklich krauste er die Stirn. Vivian hatte sich ihm halb zugewandt, die kalte Pfeife zwischen den Zähnen, und beobachtete ihn besorgt.

»Wie ich die Sache sehe, Felix«, faßte er zusammen, »ist eure Bande in großen Schwierigkeiten. Die Frage ist, was tun wir?«

Langsam drehte sich Lang um, Asche fiel auf seinen Schoß. »Also ist David gar kein Börsenmakler, wie?« Er schien Vivians Frage nicht verstanden zu haben. »Das ist ja eine Überraschung!« Gedankenverloren schnippte er die Asche fort, dann schien er zu einem Entschluß zu kommen. Energisch drehte er den Zündschlüssel um und lachte kurz auf. »Wir müssen handeln – und zwar schnell. Ich muß den alten Jensen auf unsere Seite ziehen, schließlich hängt alles von seiner Entscheidung ab.«

»Dieser Muir muß verdammt kaltschnäuzig sein«, meinte Vivian, »wenn er sich von Karen in euren Kreis einführen ließ, ohne daß sie seinen wahren Beruf erfuhr.«

»Wenn er wirklich nur auf sie selbst ausgewesen wäre, dann hätte seine Tarnung keinen Sinn, nicht wahr? Nein, alter Freund, ich hatte schon lange das Gefühl, daß es bald zum Knall kommen wird. Aber daß die Lunte schon im eigenen Nest glimmt, überrascht mich doch.«

»Muir muß eine miese Ratte sein, wenn er ein Mädchen wie Karen in seinen dreckigen Job verwickelt.«

»Solltest du ihn aber danach befragen«, spottete Lang, »wird er dir sagen, daß er nur seine Pflicht getan hat.«

Kies knirschte, als sie durch ein schmiedeeisernes Tor in eine breite, geschwungene Auffahrt einbogen. Zwischen den dunklen Büschen und Vogelbeerbäumen verlangsamte der Wagen seine Geschwindigkeit, bis vor ihnen die erleuchteten Fenster eines Landhauses aus roten Ziegeln auftauchten.

Lang nickte anerkennend. »Ein schönes altes Gebäude, stammt aus der gleichen Zeit wie der Palast. Könnte mir auch gefallen.«

Sie wurden von einer adretten Hausdame durch die Eingangshalle geführt, und Vivian schaute sich bewundernd um. Die Decke wurde von geschnitzten Balken getragen, überall blinkte Messing, der Parkettboden glänzte matt, große Vasen mit duftenden Blumenarrangements standen im Raum verteilt. Auch das geräumige Wohnzimmer war mit Schnittblumen geschmückt. Vivian genoß die gediegene Atmosphäre des ganzen Hauses.

Nils Jensen versuchte sich aus seinem Sessel hochzustemmen, aber Vivian ging schnell zu ihm und kam ihm zuvor.

»Freut mich, daß Sie kommen konnten, mein Junge«, nickte Jensen freundlich. »Wir wollen uns später ausgiebig unterhalten.« Nachdenklich blickte er Vivian an. In seinem dunkelblauen Samtjackett und der altmodischen Krawatte erweckte er den Eindruck, als ob er und das Haus derselben Epoche angehörten.

Mason saß mit Janice gelangweilt auf einem Sofa, nippte an einem Drink und hörte einem fetten, rotgesichtigen Mann zu. Janices Gesicht erhellte sich, als sie Vivian und Lang entdeckte, grüßend hob sie ihr Glas. Offensichtlich war sie schon ziemlich betrunken.

Die anderen Gäste saßen oder standen in kleinen Gruppen zusammen, hielten sich an ihren Drinks fest, plauderten und lachten. Obwohl sie keine offizielle Abendgarderobe trugen, beneidete sie Vivian um ihre lässige Eleganz. Bisher hatte er ein Dinnerjackett für überflüssigen Luxus gehalten, jetzt wünschte er, er könnte sich eines leisten.

Karen stand in einer Gruppe vor den hohen Fenstertüren, die auf den gepflegten Rasen hinausführten, der sich bis zum Fluß hinunter erstreckte. Sie trug ein blaues Cocktailkleid, das ihre grazilen Schultern freiließ. Wütend bemerkte Vivian, daß Muir um sie herumschwänzelte.

Helles Gelächter brandete auf, Karen drehte sich um und entdeckte ihn. Zu seiner großen Freude entschuldigte sie sich bei den anderen und kam zu ihm herüber.

»Wie schön, daß Sie da sind, Philip«, flüsterte sie. »Haben Sie schon einen Drink?«

Er schüttelte den Kopf und folgte ihr zu einem langen Tisch, auf dem eine gut sortierte Flaschenbatterie aufgebaut war. Daneben standen kalte Platten jeder Art und Größe.

»Dann lassen Sie uns einen richtigen dänischen Willkommensschluck nehmen«, schlug sie vor, suchte eine Flasche heraus und füllte zwei Gläser mit einer wasserhellen Flüssigkeit.

»Aquavit?« forschte Vivian.

»Kennen Sie unsere dänische Spezialität?«

»Ich habe ihn in Kopenhagen probiert, als wir auf dem Rückweg von Deutschland durch den Sund fuhren.« Dankend nahm er ihr sein Glas ab.

»Jeder besucht Kopenhagen und glaubt, Dänemark zu kennen. Dabei ist das nur eine schöne Stadt unter vielen anderen.«

»Und da, wo Sie herstammen, ist das echte Dänemark, nehme ich an?« Er grinste.

»Natürlich.« Sie blieb ernst. »Ich komme aus Vejle, das ist eine kleine Stadt am Ende einer langen Förde an der Ostsee.« Sie lächelte. »Dort würde es Ihnen gefallen, denn es gibt viele Yachten und klares, tiefes Wasser. O ja, es ist sehr schön im Vejle.« Sie hielt inne und blickte ihn auffordernd an. »Aber jetzt trinken wir auf Ihre *Seafox. Skal!*«

Der Schnaps floß wie flüssiges Feuer durch seine Kehle, er hustete und holte keuchend Luft.

»Hallo, Vivian«, schnarrte eine Stimme hinter seiner Schulter. Er drehte sich um: Muir. Er trug einen leichten Gabardineanzug und betrachtete ihn neugierig.

»Schon alles für den Trip nach Frankreich vorbereitet?« erkundigte er sich leichthin.

»So ziemlich«, antwortete Vivian kurz.

»Wohin geht's denn diesmal?«

»Weiß noch nicht.« Er hoffte, daß seine Stimme genauso unverfänglich klang.

Muir schien das Interesse an ihm verloren zu haben, er wandte sich Karen zu. »Kommst du? Betty und Paul wollen gehen, möchten aber vorher mit dir über den Ball nächste Woche sprechen.«

Sie stellte ihr Glas ab. Vivian spürte ein Verlangen, sie festzuhalten und hier und jetzt ganz für sich allein zu haben.

»Ich hoffe, daß wir uns noch sprechen, Philip. Verschwinden Sie nicht wieder heimlich, wie es sonst Ihre Art zu sein scheint.« Ihre Stimme klang weich.

Sie verließ ihn und ging mit Muir in ein anderes Zimmer. Eine schlanke Hand legte sich auf seinen Arm: Janice Mason, die ihn neckisch begrüßte.

»Macht es Ihnen etwas aus, mir davon auch einen Schluck zu geben, Kapitän?« Sie sprach schon etwas undeutlich.

Er runzelte die Stirn und schüttelte den Kopf. »Sie haben genug, junge Dame. Aber ich mixe Ihnen etwas Schwächeres.«

Sie schüttete den Pink Gin, den er ihr gab, in einem Zug hinunter und lächelte dann melancholisch. »Wie ich sehe, warten Sie wieder mal auf dem Abstellgleis?«

Er antwortete nicht. Sie wies mit dem Kopf in Richtung eines anderen Zimmers. »Es geht um diesen Muir, nicht wahr?«

Jetzt erst bemerkte Vivian, daß Mason und Lang verschwunden waren. Als er sich nach Jensen umwandte, sah er, daß auch dessen Sessel verwaist war. Also hatte die Konferenz bereits begonnen.

Er wandte sich Janice wieder zu. »Na gut, ich werde mich um Sie kümmern, bis die anderen wieder zurück sind.«

»Hoffentlich fahren sie alle gemeinsam zur Hölle«, murmelte Janice. »Ich würde meinen rechten Arm dafür geben, könnte ich so leben wie diese harmlosen Leute hier.« Sie machte eine ausholende Armbewegung. »Nette, gewöhnliche, ehrliche Leute, keine verdammten Ganoven, keine krummen Geschäfte, nichts davon!«

Vivan blickte sich nervös um, aber die anderen Gäste schienen mit sich selber beschäftigt zu sein.

»Reißen Sie sich zusammen«, zischte er. »Das ist kein Partythema.«

Janice blickte ihn geringschätzig an. Oder war es schiere Verzweiflung? »Philip«, ihre Stimme war so leise, daß er sie kaum verstand, »ich kann den Anblick meines Mannes nicht mehr ertragen. Überrascht Sie das?«

»Ich habe so was vermutet . . .«

»Felix wird mir doch helfen, nicht wahr?« Das klang bittend.

»Ich denke, daß Felix alles kann, was er wirklich will«, erwiderte er fest. »Kommen Sie, wir gehen in den Garten, bis Sie sich besser fühlen.« Am Ellbogen steuerte er sie hinaus ins Mondlicht.

Doch bald merkte er, daß er einen Fehler gemacht hatte, denn als Janice frische Luft atmete, lehnte sie sich plötzlich schwer gegen ihn und kicherte albern. Als er sie stützte, umklammerte sie seinen Nakken; ihre Augen stierten ihn verschwommen an.

Plötzlich standen sie beide in Licht getaucht, denn eines der französischen Fenster hinter ihnen wurde geöffnet. Bevor Vivian begriff, was geschah, stand Mason neben ihm, packte Janices Arm und zog sie hart in den Schatten zurück. Sein Gesicht war wutverzerrt, seine Lippen bebten vor Zorn.

»Du kleine Närrin«, zischte er, »kannst du deine Pfoten denn wirklich nicht von fremden Männern lassen?« Mit der flachen Hand schlug er ihr ins Gesicht. Sie stolperte nach hinten, drückte die Hände vor die Augen und schluchzte leise. Mason stand drohend und schwer atmend über ihr.

»Augenblick, Mason«, mischte sich Vivian ein, »sie ist nur beschwipst, das ist noch lange kein Grund, sie . . .«

»Halten Sie den Mund!« Masons Augen funkelten. »Wenn ich Sie noch mal dabei erwische, wie Sie an ihr rumfummeln, dann sind auch Sie fällig.«

Vivians Nackenhaare sträubten sich. Ohne Hast packte er Masons Jackett und zog ihn wie eine Puppe zu sich heran. Seine Stimme klang ihm selber fremd.

»Versuchen Sie ja nicht, mir zu drohen, Mason! Oder Sie bekommen, was Sie verdienen!«

Er hob das Jackett etwas an, dann gab er dem Mann einen leichten Stoß vor die Brust. Mason stolperte gegen die Hauswand. Sein Gesicht war aschfahl, die schmalen Augen funkelten haßerfüllt.

»Okay, ihr beiden, das reicht!«

Jensens leise Stimme strahlte Autorität aus, als er durch die Fenstertür gehumpelt kam. Hinter ihm erschien Lang, das runde Gesicht wachsam und neugierig.

»Verzeihung, aber ich habe etwas gegen Männer, die ihre Frauen schlagen!« Vivian ließ die Arme sinken.

»Schon gut, schon gut!« schnappte Jensen. »Und jetzt kommt alle in die Bibliothek. Felix, machen Sie uns Drinks.« Er wandte sich Mason zu, seine überschatteten Augen blickten kalt. »Und Sie, Andrew, bringen Janice nach Hause.« Er hob die Hand, als Mason protestieren wollte. »Nein, Andrew, es ist besser so. Wir haben viel vor und keine Zeit für privaten Streit.«

Mason nahm sich zusammen, aber seine Brust arbeitete heftig. »Na gut«, krächzte er. »Sorgen Sie nur dafür, daß mir dieser – dieser Gentleman aus dem Weg geht!«

»Ich denke, es ist besser, wenn Sie ihm nicht in den Weg laufen«, konterte Jensen trocken und ging in die hellerleuchtete Bibliothek zurück. Er schloß das Fenster hinter den Männern.

Müde sank er dann in einen Sessel und beobachtete Vivian, der ein

Glas von Lang entgegennahm und es leerte, offensichtlich ohne etwas zu schmecken.

Jensen trommelte mit den Fingern auf die Lehne seines Sessels. Seine Hände waren voller Leben, der Rest des Körpers ruhte entspannt.

»Felix, bitte entschuldige mich bei den Gästen«, sagte er. »Sie werden uns allmählich vermissen. Aber ohne Zweifel werden sie bald aufbrechen wollen.«

Lang eilte fort und warf dabei Vivian einen neugierigen Blick zu. Jensen saß zunächst still da und lauschte den Geräuschen im Nachbarzimmer. Mit einem kleinen Seufzer wandte er sich dann Vivian zu.

»Ich habe von Felix erfahren, daß Sie nicht nur temperamentvoll, sondern auch vertrauenswürdig sind«, begann er. »Weiterhin weiß ich, daß Sie in alles eingeweiht sind, was hier vorgeht. Richtig?« Er beugte sich vor, seine Augen verengten sich.

»Ich weiß jedenfalls genug«, entgegnete Vivian vorsichtig.

»Genug! Was ist das?« schnappte Jensen, seine Finger klopften ungeduldig. »Also gut, Mr. Vivian, ich werde Ihnen alles erklären. Sie wissen von dem Geld und woher es kommt, nicht wahr? Sie haben Ihre Loyalität unter Beweis gestellt, indem Sie den hübschen, aber dummen David Muir enttarnt haben. Meiner Meinung nach reicht das.« Er machte eine Pause, um Luft zu holen, sein deformierter Mund zuckte unkontrolliert.

»Augenblick«, warf Vivian linkisch ein. »Erstens ging es mir hauptsächlich um meine eigene Sicherheit, und zweitens kann ich mich nicht mit dem Gedanken anfreunden, daß Ihre Nichte von Mr. Muir hofiert wird.«

»Und auch nicht damit, daß sie durch mich und meine Geschäfte gefährdet wird. Ist es nicht so?«

Vivian seufzte. Es war wie ein Gespräch mit einem Gedankenleser.

»Sie brauchen nichts zu erklären, mein Junge, mir ist alles klar.« Ein Lächeln huschte über Jensens Gesicht. »Jeder kann sehen, daß Sie bis über beide Ohren in meine Karen verliebt sind.« Er lehnte sich zurück, zufrieden mit der Wirkung, die seine Bemerkung erzielt hatte.

»Meine Gefühle für Karen«, Vivian sprach ihren Namen so vorsichtig aus, als beschreibe er ein wertvolles Juwel, »sind meine Privatangelegenheit!«

Jensens untersetzte Gestalt schüttelte sich vor unterdrücktem Gelächter, das erst verebbte, als er Vivians finsteres Gesicht sah. »Bitte, mißverstehen Sie mich nicht. Es sind vor allem diese Gefühle, weshalb ich Sie heute abend sprechen wollte.« Er machte eine Pause. »Auch mir bedeutet Karen alles. Wie Sie wahrscheinlich wissen, war ich einige Zeit Gefangener der Nazis, nachdem sie entdeckt hatten, daß ich ihnen von Nutzen sein konnte. Dadurch verlor ich alles. Vor allem meine Familie, und das hat mich beinahe umgebracht. Nur meine Entschlossenheit, es diesen Schweinen heimzuzahlen, hielt mich am Leben. Wie Sie noch heute sehen, ließen sie auch meinen Körper nicht heil. Nachdem ich mit Karen nach England entkommen war, baute ich hier ein neues Leben auf. Sie sollte niemals erfahren, was es bedeutet, Angst zu haben und Not zu leiden. Sie sollte eines Tages ein Leben führen, wie ich es von früher kannte.«

»Das verstehe ich«, antwortete Vivian leise.

»Ja, ich habe Sie wohl richtig eingeschätzt. Kurz und gut, als ich die Möglichkeit sah, viel Geld zu machen, griff ich zu. Warum auch nicht? Ich hatte nach dem Krieg nichts mehr, was auf mich wartete. Mein Heim war zerstört, meine Familie tot, ich war in meinem Heimatland ein Fremder, während überall die ehemaligen Feinde frech und zahlreich wieder aus ihren Löchern krochen. Gefährliche Schlangen, nur in anderer Gestalt.« Er spuckte die Worte förmlich aus. »O nein, Mr. Vivian, ich zögerte keinen Augenblick. Wenn ich schon Geschäfte mit diesen Menschen machen muß, dann so, wie sie es mir beigebracht haben.«

»Was soll ich tun?« fragte Vivian beeindruckt.

»Sie sollen noch ein letztes Mal nach Frankreich fahren – sofort. Danach werde ich die Sache abblasen, ich habe genug.«

»Wohin geht es diesmal?«

»Zu einem kleinen Strand. Wir fahren nachher zu Ihrem Boot, und ich zeige ihn Ihnen auf der Seekarte, er ist nicht schwer zu finden. Aber es kann gefährlich werden, das darf ich nicht verschweigen.«

»Wieso?« Vivian war erstaunt, daß er so ruhig blieb.

»Die Behörden sind nun gewarnt, deshalb müssen Sie sehr vorsichtig sein.« Jensen nickte zerstreut. »Sehr vorsichtig. Mason weiß Bescheid, aber er ahnt nicht, daß es das letzte Mal ist. Das erzähle ich ihm erst später. Ich fürchte, seine Gier könnte sein Untergang werden. Aber bestimmt nicht der unsrige.« Ohne Überleitung schloß er: »Gut, dann lassen Sie uns jetzt zu Ihrem Boot fahren und die Karten ansehen.«

»Muß ich wieder einen Passagier an Bord nehmen?«

»Ich fürchte, Cooper und noch ein zweiter Mann werden dabeisein.« Das klang entschuldigend. »Sie kommen vor Ramsgate an Bord und sollen Sie unterstützen. Schließlich ist es ein gefährlicher Auftrag.«

»Ich bin daran gewöhnt, meinen Kopf in die Schlinge zu stecken«, grinste Vivian. »Zumindest weiß ich diesmal, was mich erwartet.«

Der alte Mann packte seine Hand mit festem Griff. »Daß Sie sich nur nicht irren! Es kann wirklich gefährlich werden, also seien Sie vorsichtig!« Er lächelte verschmitzt. »Wenn schon nicht für sich selber, dann für Karen.«

Vivian wurde rot. »Ich habe doch keine Chancen bei ihr.«

»In Dänemark haben wir ein Sprichwort.« Jensen schien alten Erinnerungen nachzuhängen. »Liebe ist wie eine Blume, lautet es, man muß sie nicht nur genießen, sondern auch hegen und pflegen.«

Lang kam ins Zimmer. »Ihr Wagen steht bereit«, meldete er. »Die meisten Gäste sind schon gegangen.«

»Was ist mit Karen?« Jensen blickte suchend aus dem Fenster.

»Die ist auch weg, auf einer Spritztour mit unserem Freund Muir.«

»Gut. Dann wollen wir uns aufmachen.« Jensen erhob sich und schwankte zur Tür. »Ich komme gleich nach.«

Lang und Vivian schlenderten zu Jensens Wagen.

»Glück gehabt, alter Junge«, murmelte Lang. »Es scheint gut für uns zu laufen.« In der Dunkelheit streckte er ihm eine Hand entgegen, und Vivian sah Metall schimmern. »Hier, steck das ein.«

Vivians Hand schloß sich um den Kolben einer schweren Pistole. Er schob sie von sich fort. »Ich will das nicht, Felix. Ich werde keine Waffen benutzen, ganz gleich, was passiert.«

»Ist deine Yacht versichert?« fragte Lang zusammenhanglos.

»Natürlich. Wieso?«

»Wie oft hast du die Versicherung schon in Anspruch genommen?«

»Noch nie. Aber was . . .«

Lang steckte die Waffe energisch in Vivians Jackentasche. »Nimm sie, alter Junge. Für den Fall, daß es Ärger geben sollte.«

Sie strafften sich, als Jensen im Dunkeln herangehumpelt kam. »Wir müssen los.« Lang verabschiedete sich hastig und stieg in seinen Bentley.

Später mußte Vivian noch oft an diese Fahrt denken. Jensen sprach unermüdlich, die ganze Zeit fühlte er sich im Banne dieser ruhigen, weichen Stimme. Von Booten war die Rede und von Dänemark vor der Besetzung. Vivian sah das sorgenfreie glückliche Leben vor sich, das Jensen geführt hatte, bevor ihn die Verbitterung verändert hatte, bevor das Leid seine natürliche Anständigkeit verdrängt hatte.

An Bord sah Jensen interessiert zu, wie Vivian die Seekarten des Englischen Kanals heraussuchte und auf dem Tisch ausbreitete. Er schaltete ein kleines Licht darüber an, suchte auf einer Karte herum und machte schließlich mit scharfem Stift ein Kreuz an der französischen Küste. »Hier ist es. Was sagen Sie dazu?«

Mit Kursdreieck und Bleistift arbeitete Vivian schnell und gekonnt in der Karte, machte sich von Zeit zu Zeit ein paar Notizen und nickte schließlich nachdenklich. »Es geht. Nach der Karte ist die Gegend dort völlig verlassen.«

»Ja, der Strand ist zu klein, um touristisch von Nutzen zu sein. Er ist nur hundert Meter lang, alles andere ist felsig und steil.«

Wieder nickte Vivian stumm. Er sah die Gegend in Gedanken vor sich, aus den Linien und Zahlen der Karte formte sich ein Bild. »Ich könnte dicht vor dem Ufer ankern, sogar bei Niedrigwasser.«

»Ja. Können Sie morgen nacht dort sein?«

»Mal sehen.« Vivian zog seine Gezeitentafeln zu Rate und griff mit dem Zirkel die Distanz ab. Jensen beobachtete ihn aufmerksam.

»Ja, das könnte gehen. Ich werde morgen früh gegen sieben Uhr auslaufen, und wenn alles klappt, bin ich gegen halb eins vor Ramsgate. Wie kommen Cooper und der andere Mann an Bord?«

»Sie sind mit einem Motorboot draußen, zum Fischen, falls jemand fragt. Und weiter?«

»Ich halte mich danach unter der Küste, als ob ich zur Isle of Wight wollte. Nach dem Passieren des Royal-Sovereign-Feuerschiffs«, er klopfte auf die Seekarte, »das wäre gegen sieben Uhr, ändere ich den Kurs nach Süden. Morgen scheint kein Mond, also kann ich schnurstracks auf besagten Strand zuhalten.«

»Sehr gut. Wie ich sehe, verstehen Sie Ihr Geschäft.«

»Während des Krieges hatte ich viel Zeit zum Üben«, meinte Vivian.

Jensen richtete sich auf. »Das war's dann. Sie werden dort um Mitternacht mit einer roten Taschenlampe Lichtsignale geben: Morsebuchstabe ›V‹. Sobald mit ›G‹ von Land bestätigt wird, bringen Sie die Ladung im Dingi zum Strand.« Er blickte Vivian forschend an. »Aber falls Ihnen etwas verdächtig vorkommt, gehen Sie nicht an Land, sondern hauen auf schnellstem Weg ab.«

Vivian grinste und genoß die vertraute Spannung. Ganz wie in alten Zeiten. Er würde sehr genau navigieren müssen, um diesen schmalen Strand irgendwo zwischen Dieppe und St. Valery zur vereinbarten Zeit zu finden.

Als ob er seine Gedanken lesen könne, legte ihm Jensen eine Hand auf den Arm. »Und vergessen Sie nicht: kein unnötiges Risiko!«

Gleichzeitig blickten sie den großen Koffer an, den Jensen mit an Bord gebracht hatte.

»Wo soll ich den verstauen?« fragte Vivian.

Jensen öffnete den Koffer und entnahm ihm einen Sack aus wasserdichtem Stoff, etwa von der Größe eines kleinen Kopfkissens. Vivian war von seinem Gewicht überrascht. Das Geld mußte fest hineingepreßt worden sein.

Der Alte beobachtete ihn, seine tiefliegenden Augen leuchteten wie die einer Katze. »Können wir in den Maschinenraum gehen?«

Sie krochen in den sauberen, aber sehr beengten Raum unter dem Ruderhaus. Jensen nickte bewundernd, als er die beiden schweren Dieselmotoren sah, die wie schlafend dalagen. Dann kniete er sich vorsichtig auf das schmerzende Bein und blickte unter die Backbordmaschine. Schließlich deutete er auf die große Schwungscheibe an deren vorderem Ende. Seine spitzen Zähne glitzerten. »Dort unten ist der richtige Platz.«

Blitzartig erkannte Vivian, wie recht Jensen hatte. Zwischen der Schwungscheibe und dem Rumpf blieb ein verborgener Spalt von etwa acht Zoll Höhe, von Leitungen und Rohren gut geschützt. Solange das Boot unterwegs war, würde kein Neugieriger dort zu suchen wagen, denn kam sein Arm in die Nähe des rotierenden Rades, etwa bei einem plötzlichen Überholen des Bootes, mußte er zerrissen werden.

Vivian pfiff leise. »Gute Idee.«

»Haben Sie ein paar kleine Ballaststücke? Ich will den Sack dort unten damit beschweren, dann kann er nicht verrutschen.«

Vivian eilte nach achtern und kam gleich darauf mit zwei kleinen, aber schweren Eisenteilen aus der hinteren Bilge zurück.

Nachdem alle Vorbereitungen abgeschlossen waren, ruderte Vivian den alten Dänen an Land zum wartenden Auto. Versonnen sah er den Lichtern des Wagens nach. Jensen und ich sind einander sehr ähnlich, dachte er. Es war beängstigend.

4

Am frühen Morgen des nächsten Tages schnaufte ein Schlepper an *Seafox* vorbei stromabwärts. Zwei Seeleute standen mit dampfenden Teebechern an Deck und warfen den kreischenden Möwen Brotkrumen zu. Vivian beobachtete sie und fühlte einen Drang zur Eile in sich aufsteigen. Nervös blickte er auf seine Uhr: halb sieben. Endlich begann die unruhige Strömung des Flusses ihre Richtung zu ändern. Die Wellen klatschten gegen die Pfähle der Pier, als der Strom kenterte.

Er kletterte ins Ruderhaus, schlüpfte in seine wasserdichte Jacke und zog den Reißverschluß bis zum Kinn hoch. Dann drückte er sich die Mütze fest auf den Kopf. Dabei fiel sein Blick auf sein Jackett, das neben der Salontür hing. Stirnrunzelnd zog er Langs Pistole heraus und prüfte sie. Das Magazin war voll geladen, er ließ es wieder einrasten und legte die Sicherung um. Einen Moment war er versucht, die Waffe einfach über Bord zu werfen. Aber wie Lang richtig gesagt hatte, im Notfall mochte sie sich als nützlich erweisen. Vielleicht war sie auch das geeignete Mittel, um mit Cooper klarzukommen. Nachdenklich blickte er sich um. Der Erste-Hilfe-Kasten war das richtige Versteck dafür.

Hustend und spuckend erwachten die Maschinen zum Leben, als er die Starter drückte. Als sie rund liefen, ging er an Deck und warf von der Boje los. *Seafox* begann mit der Tide abzutreiben, aber schon stand er wieder hinter dem Ruder. Die Propeller bissen in das schlammige Wasser und zwangen den Steven herum.

Mit halber Fahrt voraus und Backbordruder drehte die Yacht in engem Halbkreis flußabwärts. Ein Schauer der Erregung durchrieselte Vivian.

Er reihte sich hinter einen alten Holzfrachter unter deutscher Flagge und einen schmucken schwedischen Stückgutfrachter ein. Die grauen Ufer mit ihren verfallenen Lagerhäusern und Ladepiers zogen vorbei. Die Tower Bridge ragte über ihm auf, ihre beiden Türme schienen ihn zu grüßen. Er erhaschte einen Blick auf die roten Busse, die dichtgedrängten Autos und Lastwagen und wußte, daß ihn viele Augen neidisch beobachteten. Was die Leute wohl denken würden, wenn sie den Grund seiner Reise wüßten?

Weiter ging es den gewunden Fluß hinunter, vorbei an geschäftigen Docks, bis die Ufer weiter auseinanderwichen und die Piers und Ladebrücken von Schlammbänken und Seeschiffen abgelöst wurden.

Ein Polizeiboot löste sich vom Ufer und hielt auf ihn zu. Vivians Herz begann schneller zu schlagen. Aber das Boot passierte hinter seinem Heck, und die blau Uniformierten darauf würdigten ihn kaum eines Blickes.

Mit einem Mal veränderte sich die Welt, Salzwassergeruch verdrängte Rauch und Schmutz. Auch das Boot schien es zu fühlen und stampfte fröhlich in der kurzen steilen Welle der Themsemündung. Vivian atmete tief durch und reckte die Arme. Als sich der lange Krakenarm der Southend-Pier durch den Morgendunst schob, begann er zu summen.

Gut, daß das Wetter ruhig war. Hätte sich ein Tief angekündigt, wäre er in Schwierigkeiten gekommen. Zweifellos hätte sich das Polizeiboot für die einsame Yacht interessiert, die trotz eines aufziehenden Sturms auf die offene See hinaushielt.

Die Stunden vergingen schnell. Der Seegang wurde ausgeprägter, und schließlich änderte Vivian Kurs, um das North Foreland zu runden. *Seafox* rollte in der querlaufenden See. Er fluchte leise vor sich hin und wünschte, daß er allein weiterfahren könnte, ohne die beiden unwillkommenen Passagiere aufnehmen zu müssen. Einen Augenblick spielte er mit dem Gedanken, sie einfach in Ramsgate sitzenzulassen. Aber Jensen hatte ihn so eindringlich gewarnt . . .

Mit dem Fernglas suchte er die sonnenbestrahlte Küste ab, ließ den Blick auf der schmalen Galerie des North-Foreland-Leuchtturms verweilen und fragte sich, ob auch er von dort beobachtet wurde. Er kontrollierte den Kompaß und änderte Kurs, um näher unter Land zu kommen. Es wurde Zeit für das Treffen, und er fühlte, wie die Spannung in ihm wuchs.

Die grauen Wellenbrecher von Ramsgate kamen voraus in Sicht. Er dachte schon, daß die Koordinierung nicht geklappt hätte, als er eine halbe Meile entfernt an Backbord voraus zwei kleine Fischerboote auf dem Wasser dümpeln sah. Andere Boote waren nicht in Sicht, also schob er sich mit kleiner Fahrt heran.

Als er näher kam, erkannte er angewidert den Mann, der sein Gesicht unter einem eleganten Panamahut halb verbarg. Die Yacht glitt vorsichtig längsseits, und Cooper grinste frech.

»Hallo, Käpt'n, pünktlich auf die Minute!« Ungeschickt langte er nach der Reling.

Der große Mann im Bug drehte sich um, und Vivian blickte in das ausdruckslose Gesicht von Masons Butler Morrie. Er nickte kurz und begann seine Angelleine aufzuspulen. Ungeduldig drehte sich Cooper um und trat dem großen Mann die Angelrute aus der Hand. Sie versank im Wasser. Starr schaute Morrie ihr nach, als könne er nicht fassen, was da passiert war. Schließlich zuckte er dumpf mit den Schultern und kletterte auf die Motoryacht.

Cooper trat an die Reling und winkte dem kleinen dunklen Mann im anderen Dory zu. »Alles klar, Kamerad! Wir fahren jetzt nach Cornwall hinunter, wo man richtig fischen kann.«

»Warum zwei Boote?« forschte Vivian, als er sich zu den beiden anderen gesellte.

»Hätten wir uns in nur einem Boot herumgedrückt, wären wir hier draußen aufgefallen. Man muß eben sorgfältig planen«, erklärte Cooper wichtigtuerisch.

Vivian lächelte in sich hinein. Cooper machte wirklich aus allem ein Drama.

Sie warteten, bis der Bootsmann das andere Dory in Schlepp genommen hatte, dann steuerte Vivian weiter an der Küste entlang. Richtung Cornwall für den Fall, daß jemand sie beobachtete.

Aus dem Augenwinkel sah er Morrie sich schwerfällig an Deck bewegen. Seine breiten Schultern waren so vorgebeugt, als ob sie sein Gewicht nach unten zöge. Sollte es zum Kampf kommen, war das ein übler Gegner.

Nach einiger Zeit kam Morrie ins Ruderhaus und beobachtete Vivian schweigend.

»Übernehmen Sie das Ruder für einige Zeit«, schlug Vivian vor. »Schon mal gemacht?«

Coopers Gelächter drang aus dem Salon. »Na sicher! Lassen Sie ihn nur steuern, sonst schläft uns der Gorilla noch ein.«

Vivian warf Morrie einen schnellen Blick zu, aber das gleichmütige Gesicht hatte sich nicht verändert. Erst als er das Ruder packte, das in seinen gewaltigen Pranken wie Spielzeug aussah, schien ein Freudenschimmer über seine Züge zu gleiten. Leise antwortete er: »Ja, das habe ich schon gemacht. Oft.« Langsam nickte der kugelförmige Kopf.

Vivian ließ ihn allein und ging zu Cooper hinunter, der im Sofa lehnte, einen Schlager vor sich hin summte und dazu den Takt mit seinen spitzen Schuhen klopfte.

»Alles klar?« fragte er scharf. »Ist das Zeug gut verstaut?«

Vivian nickte. »Sicher versteckt«, antwortete er knapp. Am liebsten wäre er sofort wieder umgekehrt und hätte den widerlichen kleinen Mann an Land gesetzt.

Cooper gähnte und kratzte sich geistesabwesend den Bauch. »Sorgen Sie sich nicht um Morrie. Während des Krieges war er bei der Marine und wurde auch mal versenkt. Davon hat er was zurückbehalten, ist aber sonst ganz nützlich.« Er blinzelte schläfrig. »Ich haue mich aufs Ohr. Wecken Sie mich, wenn was passiert.« Damit drückte er sich in die Ecke und zog den Panamahut über die Augen.

Mit Morrie entwickelte sich keine Unterhaltung, obwohl Vivian es mehrfach versuchte. Also konzentrierte er sich auf die Navigation.

In der Abenddämmerung sahen sie das beruhigende Royal-Sovereign-Feuer, dahinter lag die dunkle Masse der Küste von Eastbourne. In der Ferne konnten sie gerade noch Beachy Head als hellen Fleck erkennen, auf dem die letzten Sonnenstrahlen Reflexe hervorriefen. Behutsam änderte Vivian nun den Kurs. *Seafox* drehte England ihr schlankes Heck zu und hielt auf die offene See hinaus – mit Ziel Frankreich.

Vivian knipste die kleine Lampe über dem Kartentisch an und studierte nachdenklich die dünne Bleistiftlinie in der Karte. Dann löschte er das Licht wieder. Das Ruderhaus lag im Dunkeln, nur die matte Kompaßbeleuchtung glühte. Er ließ die Speichen langsam durch die Hände gleiten. Es würde knapp werden.

Plötzlich wurde hinter ihm ein Streichholz angerissen. Er spürte, daß ihm Cooper über die Schulter blickte. »Wo sind wir?«

»Wenn ich mich nicht geirrt habe, stehen wir fünf Meilen vor dem Kap.« Mit dem Kopf deutete er auf einen fahlen Lichtschein über der Küste. »Dort drüben liegt Dieppe. Es kann nicht mehr lange dauern.«

»Gut. Was ist mit dem Dingi?«

»Morrie macht es klar. Aber wir schicken das Geld nicht los, bevor wir nicht sicher sind, daß an Land alles klappt.« Wieder stieg Erregung in ihm auf.

»Sie sind wirklich für dieses Geschäft geboren.« Cooper lachte in der Dunkelheit.

Vivian hatte das Gefühl, die Situation unter Kontrolle zu haben. »Sollten wir Ärger kriegen, schalte ich einfach die Positionslampen ein und behaupte, daß wir auf dem Weg nach Dieppe sind. Vielleicht funktioniert der Bluff.«

»Und falls nicht?«

»Dann müssen wir eben sehen, wer schneller ist«, knurrte Vivian. Die kleine Yacht schlich auf das dunkle Land zu.

Hier und da blitzte eine Leuchtboje ihre Warnung in die Nacht. Über ihnen donnerte ein hell erleuchtetes Passagierflugzeug Richtung Paris. Vivian erstarrte, als er in der Ferne ein kleines grünes Licht entdeckte, das nicht blinkte. Aber nach ein paar atemlosen Momenten verschwand es hinter dem Kap. Zweifellos eine andere Yacht auf dem Weg nach Hause.

Er verringerte die Fahrt und tastete sich an die Küste heran.

»Hier ist es!« Er riß die Gashebel zurück, und mit ausgekuppelten Maschinen lief das Boot aus, bis es im flachen Schwell rollte. Mit der roten Taschenlampe ging er nach vorn, wo Morries massige Gestalt wie ein Fels stand. Auch er wartete darauf, daß etwas passierte. Vivian holte tief Luft, dann schaltete er die Taschenlampe ein. Dreimal kurz, einmal lang. In der Dunkelheit wirkte der Lichtstrahl wie ein Suchscheinwerfer. Sein Herz pochte, angestrengt starrte er zum Ufer.

Gerade als er die Taschenlampe wieder hob, blitzte ein Licht an Land auf. Zweimal lang, einmal kurz.

Er ging zurück ins Ruderhaus, und gleich darauf erwachten die Maschinen wieder zum Leben. Das Boot bewegte sich vorwärts, aber so langsam, daß sich am Vorsteven kaum eine Welle bildete. Es war wie Autofahren im dunklen Wald ohne Scheinwerfer. Die schwarzen Arme des Landes schienen sich auszustrecken, um ihn zu erfassen; am Rand seines Blickfelds sah er eine dünne weiße Linie, wo sich die Brandung an gefährlichen Klippen brach. Aber er hatte einen guten Landfall geschafft. Nach einer schnellen Peilung der Boje vor dem Kap stoppte er die Maschinen. In der nun folgenden Stille klang das Klatschen der Wellen am Rumpf so laut, als könne man es meilenweit hören.

Er wußte, wie tief das Wasser hier war, die kleinen Zahlen der Seekarte hatten sich ihm fest eingeprägt. Die Ankerkette war gut eingefettet und markiert. Entschlossen ging er aufs Vordeck und ließ den Anker fallen. Nach einer halben Ewigkeit, wie ihm schien, tauchte die weiße Marke aus dem Kettenkasten auf. *Seafox* schwang herum und lag ruhiger. Der Anker hielt.

Klatschend schlug das Dingi auf die Wasseroberfläche. Vivian befahl Morrie, es zu beaufsichtigen, und verschwand im Maschinenraum. Schnaufend fischte er Jensens Paket unter dem Schwungrad hervor und ging zurück an Deck. Cooper wartete schon ungeduldig, den Mantelkragen hochgeschlagen; er trug eine dunkle Wollmütze.

Vivian sprang ins Dingi hinunter und verkeilte das Päckchen unter einer Ducht. »Wer von euch kommt mit?« Seine Stimme klang gepreßt.

Ohne zu antworten, sprang Cooper ins Heck.

Während er die Riemen aufnahm, instruierte Vivian Morrie nochmals: »Alles klar? Sollte ich mit der Taschenlampe ein schnelles Funkelsignal geben, dann starten Sie die Maschinen und gehen schon ankerauf.«

Die dunkle Gestalt hob bestätigend eine Hand, dann setzte sie sich abwartend hin.

Die Riemen knarrten, das kleine Dingi wühlte sich mühsam durch das unruhige Wasser. Cooper hielt sich krampfhaft an den Seiten fest, er schien wie eine Marionette auf und ab zu hüpfen.

»Dort drüben!« zischte er schließlich und beugte sich vor; seine Augen glühten.

Vivian drehte sich um. Ein dunkler Schatten watete durch das flache Wasser ihnen entgegen, um das Boot auf den Strand zu ziehen. Schweigend folgten sie ihm danach in Richtung Steilküste. Einmal hielt Vivian inne und drehte sich um, aber von der *Seafox* war nichts zu sehen. Er stieß Cooper an.

»Warum können wir ihm das Zeug nicht gleich hier geben und verschwinden?« wisperte er.

Cooper kicherte freudlos. »Vermutlich weil er sich vergewissern will. Außerdem hat er ein Päckchen für mich.«

Vorsichtig gingen sie weiter, bis sie in der Ferne, hinter Bäumen halb versteckt, ein Rechteck erkannten.

»Der Schuppen«, flüsterte Cooper.

In der Tat war es das. Nachdem sie seine Tür hinter sich geschlossen hatten, machte ihr Führer Licht. Eine nackte Glühlampe erleuchtete einen Vorraum. Vivian blinzelte. Die kahlen Wände waren schmutzig und rissig, der Fußboden bestand aus rohen Dielen. Sie traten in einen Nebenraum, der nur einen wackligen Tisch und ein paar Pappkartons enthielt. Es erleichterte Vivian, daß die Fenster sorgfältig mit alten schwarzen Verdunklungsvorhängen abgedichtet waren. Sein Blick fiel auf ein chromglänzendes Kofferradio auf einer der Kisten. Das protzige, nagelneue Gerät stach von der verwahrlosten Umgebung seltsam ab. Erstaunt hob Vivian die Brauen.

Mit schnellen Schritten ging Cooper darauf zu und streichelte die glänzende Armatur. »Da ist ja das gute Stück!« grinste er.

»Für Sie?«

»Na klar. Ich hab' Ihnen doch gesagt, daß ich hier was abholen will«, antwortete Cooper unschuldig.

»Sie wollen mir erzählen, daß Sie für ein Radio extra hergekommen sind?« explodierte Vivian.

Coopers Blick umwölkte sich. »Na ja, wir konnten das Geschäft doch nicht unten am Strand abwickeln. Außerdem wollte ich das Ding haben. So was bekommt man in England nicht.«

»Von wegen!« Vivian wandte sich dem anderen Mann zu, der das Päckchen unter seinem Arm fixierte.

Er war schmutzig und trug Arbeitskleidung, aber seine weichen Hände machten diese Tarnung zunichte. Es war ein dicklicher kleiner Mann mit scharfen, unsteten Augen und einem dünnen schwarzen Schnurrbart.

Als er schließlich sprach, klang seine Stimme scharf und gereizt und hatte einen starken französischen Akzent.

»Da wir uns nun kennen, meine Herren, können wir endlich zum Geschäft kommen, ja?« Er sah sich nervös um. »Und zwar pronto. Hier ist es kürzlich ziemlich heiß hergegangen.«

»Schon gut, schon gut, geben Sie ihm das Paket«, befahl Cooper desinteressiert. »Uns gefällt diese Hütte auch nicht sonderlich.«

Der kleine Franzose riß die wasserdichte Verpackung auf und legte den Inhalt auf den wackeligen Tisch. Während er die Dollarbündel sorgfältig sortierte, beobachtete ihn Cooper ungeduldig. Schließlich schien der Fremde zufrieden zu sein und begann die Notenbündel in die eigens eingearbeiteten Taschen seines Mantels zu stopfen. Als er damit fertig war, sah er zwar noch etwas dicker aus, aber niemand hätte vermutet, daß er ein Vermögen in gefälschten Dollars am Körper trug.

Bewundernd pfiff Cooper. »Ich wette, daß Sie das bei der Résistance gelernt haben!«

Der Mann blickte ihn nachdenklich an, seine Augen blieben im Dunkeln. »Ja, mein Freund«, sagte er schließlich gedehnt. »Aber lassen Sie uns jetzt gehen, die Polizei ist hier kürzlich sehr aktiv gewesen. Meine Informanten rieten mir, die Taktik zu ändern.« Er lächelte freudlos.

Vivian blickte auf seine Uhr. »Also los, es ist ein schwieriger Weg im Dunkeln.«

Prüfend hob Cooper das Radio an. Vivian zog gerade den Reißverschluß seiner Jacke zu, als er bemerkte, daß der Franzose versteinerte. Sein Mund stand offen, seine Augen waren weit geöffnet.

Er machte eine heftige Handbewegung. »Still!« zischte er. »Draußen kommt jemand.«

»Woher wissen Sie das?« fragte Vivian scharf.

»Ein Auto ist von der Straße abgebogen. Ich habe eine Metallplatte auf den Weg gelegt, die jetzt gescheppert hat.« Sein Gesicht war aschfahl, er sah aus wie ein Tier in der Falle.

Mit zwei Sätzen war Vivian an der Tür und schaltete das Licht aus. In der dunklen Stille hörte er nur den schweren Atem der beiden Männer und draußen den Motor eines Autos. Er öffnete die Tür und blickte in die leere Vorhalle. Durch die Ritzen der Eingangstür fiel das Licht von Autoscheinwerfern. Plötzlich erlosch es, und eine Wagentür schlug. Vivians Hoffnung sank; das war kein zufälliges Zusammentreffen, da kam jemand aus gutem Grund.

Der Franzose schob seine Lippen dicht an Vivians Ohr. »Es ist nur einer«, flüsterte er.

Vivian nickte. »Aber vielleicht sind andere auf der Rückseite.«

Er zuckte zusammen, als er hinter sich ein metallisches Knacken vernahm. Das kannte er nur zu gut. »Verdammt, keine Schußwaffen!« wisperte er Cooper zu. »Rüber zum Fenster!« Und an den Franzosen gewandt: »Schnell hinter die Tür! Ich bleibe hier und greife mir jeden, der reinkommt.«

In der Stille starrte er auf die Eingangstür, bis seine Augen schmerzten und helle Punkte davor tanzten. Schritte knirschten im Sand, langsam öffnete sich die Tür. Wieder herrschte Stille. Er sucht den Lichtschalter, vermutete er und erinnerte sich, daß der Schalter nicht neben der Tür saß. Also kannte sich der Besucher hier nicht aus.

Vivians Gedanken rasten, als die Dielen unter tastenden Schritten knarrten. Noch ein paar Meter, dann quietschte eine andere Tür. Wieder hielten die Schritte inne, um sich neu zu orientieren. Er vermeinte Atemzüge zu hören, oder war es sein eigener Herzschlag?

Kleidung raschelte, ein dunkler Schatten schob sich am Türpfosten vorbei. Gleichzeitig schwang die Tür nach innen auf. Der bleiche Umriß einer Hand war nur wenige Zentimeter von seinem Gesicht entfernt, als sie nach dem Lichtschalter tastete. Jetzt oder nie!

Wie ein Panther sprang Vivian vorwärts und umklammerte einen

Körper. Er hörte einen erschrockenen Atemzug und rief im selben Augenblick: »Verdammt, macht Licht!«

Er hörte Cooper fluchen, der gegen den Tisch gerannt war, dann blendete sie grelles Licht. Blöde starrten alle in Karen Jensens Gesicht. Ihre Augen waren vor Angst weit aufgerissen, ihr Mund zum Schrei geöffnet.

Wie ein lebendes Bild verharrten alle stocksteif: Vivian entsetzt, Cooper angespannt und der Franzose voller Wachsamkeit.

Vivian ließ sie vorsichtig los. »Karen!« japste er. »Was machen Sie denn hier?«

Sie schluckte krampfhaft. »Das ist schwer zu erklären«, sagte sie heiser. »Aber Sie müssen hier schleunigst verschwinden!«

»Augenblick mal . . .«, begann Cooper. Ihr Blick wanderte zu ihm hinüber und blieb an der Pistole in seiner Hand hängen. Vivian brachte Cooper mit einem Wink zum Schweigen und wandte sich wieder Karen zu.

»Nun also«, sagte er leise. »Wir wissen zwar nicht, wie Sie hergekommen sind, aber es tut mir leid, wenn ich Sie erschreckt habe.« Er verstummte hilflos.

Sie blickte ihn so lange an, als ob sie sich sein Gesicht genau einprägen wollte, dann warf sie sich mit einem Aufschluchzen in seine Arme. Ihre blonden Haare streichelten sein Gesicht.

»Verdammt will ich sein!« fluchte Cooper verwundert. Der Franzose knöpfte sich ohne Hast den Mantel zu.

»Schon gut, Karen, schon gut!« flüsterte Vivian. »Jetzt wissen Sie wenigstens, was ich wirklich treibe.«

Sie blickte ihn mit tränenüberströmtem Gesicht an. »Das ist es ja, Philip. Ich weiß es schon lange.«

Er wurde steif. »Woher?«

Heftig schüttelte sie den Kopf. »Dafür ist jetzt keine Zeit. Ihr müßt sofort verschwinden!«

Vivian nickte Cooper zu. »Also los, zurück zum Strand!«

»Nehmt mich mit! Ich kann nicht weiter.« Karens Stimme brach.

Draußen heulte ein Motor auf, dann herrschte wieder Stille. Der Franzose war verschwunden.

»Ich fürchte, daß er Ihren Wagen genommen hat, Karen.«

»Spielt keine Rolle. Er gehörte unserer Filiale in Calais.«

»Heißt das, daß Sie den ganzen Weg von Calais hergekommen sind, um uns zu warnen?« Er schrie es fast.

»Um *dich* zu warnen, Philip«, erwiderte sie, plötzlich ruhig.

Er zog sie an sich und fühlte die Wärme ihres schlanken Körpers. Dann fiel sein Blick auf ihre leichten Sandalen. »Damit kommst du nie bis zum Strand hinunter.« Erregung stieg in ihm auf. »Ich trage dich.«

Mit dem Ellenbogen schaltete er das Licht aus und stieg vorsichtig die Stufen hinab. Sie war so leicht in seinen Armen. Die Hände hatte sie um seinen Nacken gelegt. Er glaubte zu träumen.

Während sie vorwärts hasteten, begann sie wieder zu sprechen. Ihre Stimme klang drängend.

»Erinnerst du dich an David Muir? Gestern fand ich heraus, daß er Zöllner ist. Er fahndet nach Schmugglern, und ich belauschte ihn, während er mit seinem Chef telefonierte.« Sie packte fester zu, als er über einen Stein stolperte. »Er sagte, daß du mit deinem Boot Drogen schmuggelst, und daß man dich diesmal stellen würde!« Wieder schluchzte sie. »Er sagte noch viele andere Dinge. Schlimme Dinge.«

Vivian bemühte sich, einen klaren Gedanken zu fassen. »Wie bist du so schnell hierhergekommen?« Er wich einem Baumstumpf aus. »Woher kanntest du dieses Haus?«

Sie zitterte, das Sprechen schien ihr schwerzufallen. »Als ich mich um das Auto bemühte, hörte ich, wie mein Onkel am Telefon sagte, daß es ein . . .« Sie unterbrach sich, ». . . ein Leck gegeben hätte, ja, so nannte er es. Die Polizei überwacht alle Häfen und die Hauptstraßen.«

»Ein Glück, daß er diesen abgelegenen Strand ausgesucht hat.« Vivians Ton heuchelte Zuversicht.

»O ja, er war sehr vorsichtig«, meinte sie verbittert. »Wie dumm von mir, all die Jahre zu glauben, er würde sein Geld ehrlich verdienen. Aber mir ist ziemlich egal, was er früher getan hat oder heute macht. Ich verüble ihm nur, was er dir angetan hat.«

»Es war auch mein Fehler«, murmelte er.

»Das ist nicht wahr, Philip. Nachdem ich David Muir am Telefon belauscht hatte, lief ich gleich zurück ins Haus, aber du warst schon fort. Ich sagte meinem Onkel, was ich erfahren hatte, und schließlich gestand er mir alles.« Ihre Stimme zitterte, ihr Atem strich warm über seine Wange. »Ich sagte ihm, daß ich dich warnen wollte, und am Ende sah er es ein. Wir meinten, daß es zu gefährlich wäre, nach Chelsea oder Ramsgate zu fahren, darauf mochte der Zoll nur warten. Also flog ich direkt nach Calais. Den Rest kennst du.«

Er drückte sie enger an sich. »Du bist wunderbar. Mehr kann ich dazu nicht sagen.« Er hatte einen Kloß in der Kehle.

Plötzlich spürte sie, daß er sich versteifte. »Was ist los, Philip?«

Er versuchte, sich zwischen den dunklen Büschen und Dünen zu orientieren. Sein Herz begann wieder zu rasen. Sie waren nicht auf dem richtigen Weg! In aufsteigender Panik blickte er sich um, aber nichts wies ihm den Weg zu den Klippen. Das Haus hinter ihnen war von der Nacht verschluckt worden.

»Augenblick.« Er setzte sie sanft ab, und sie beobachtete ihn, während er prüfend die Luft einsog und lauschte, um das Meer zu riechen und zu hören. Sie sah, daß er lächelte.

Schließlich nahm er ihre Hände. »Ich fürchte, daß ich die Orientierung verloren habe. Es ist besser, wenn ich mich erst umsehe. Sobald ich die Straße gefunden habe, geht's weiter.«

»Was soll ich inzwischen machen?«

»Bleib ruhig hier, Karen. Keine Angst, ich lasse dich nicht im Stich. Jetzt nicht und niemals« Er drückte ihre Hände.

Sie schien zusammenzusinken, als er in der Dunkelheit verschwand. Von fern hörte er das Brummen eines Autos, das zeigte ihm die Richtung zur Straße. Reifen quietschten, und zwei starke Scheinwerfer schwangen wie Sicheln über das öde Terrain. Gleich darauf kam ein zweiter Wagen um einen kleinen Hügel gefegt, in seinem Licht zeichnete sich das verlassene Haus deutlich ab. Vivian begriff, was sich ereignete, als Türen schlugen und Kommandos gebrüllt wurden. Da drehte er sich um und rannte schnell zurück, ohne sich um die Hindernisse auf seinem Weg zu kümmern. Atemlos erreichte er Karen und packte ihren Arm. »Wir müssen weiter!« Seine Stimme klang gepreßt. »Die Polizei ist da.«

Mit der Straße und dem Haus im Rücken machten sie sich wieder auf. Er hielt ihr die Zweige so gut wie möglich vom Leib, trotzdem zerrissen Dornen ihren Rock. Hilflose Wut stieg in ihm auf. Es war alles seine Schuld, sie litt, weil er so dumm gewesen war.

Dann hörten sie Hundegebell. Keuchend hob er sie wieder hoch. »Los, schneller, sonst kriegen sie uns!«

Plötzlich spürten sie eine salzige Brise von unten. Sie waren auf einer niedrigen Steilklippe, in der Ferne brach sich die Brandung an Felsen. Ohne sich noch einmal umzublicken, stolperte Vivian zum Strand hinunter. Allmählich begannen seine Arme unter Karens Gewicht zu erlahmen.

»Verdammt, wo waren Sie so lange? Ich kann das verdammte Boot doch nicht allein rudern!« Das war Coopers erregte Stimme.

Ein Glück, dachte Vivian, sonst hätten Karen und er jetzt bestimmt auf dem Trockenen gesessen. »Alles klar!« keuchte er und ließ das Mädchen hinunter. »Haben Sie der Yacht signalisiert?«

»Na klar, und ich habe gehört, daß Morrie den Anker hievte. Um Himmels willen, nun machen Sie schon!«

Gemeinsam schoben sie das Dingi ins Wasser, und Vivian bemerkte erstaunt, daß sich Cooper die Zeit genommen hatte, das Radio sorgfältig im Heck zu verstauen.

Mit letzter Kraft pullte er vom Ufer weg, wobei sein Blick zwischen der dunklen Küste und Karens bleichem Gesicht hin und her wanderte. Nervös trommelte Cooper auf den Bootsrand.

Endlich hörten sie das Brummen der Dieselmotoren im Leerlauf, dann stießen sie gegen die Bordwand. Vivian half Karen an Bord.

Die nächsten Minuten waren ein Alptraum. Sie hievten das Dingi an Deck, und Vivian übernahm das Ruder von Morrie, dessen Gesicht so ausdruckslos wie immer war. Er stutzte auch nicht über den zusätzlichen Passagier. Langsam beschleunigte Vivian, weißer Schaum quirlte am Heck empor, aber niemand rief sie an. Nach einigen Minuten drückte er die Gashebel weiter nach vorn. Immer noch erwartete er, daß gleich Scheinwerfer aufblitzen und Kugeln durch die Luft pfeifen würden.

Cooper drückte sich an die Wand, blickte nervös achteraus und murmelte ein ums andere Mal: »Junge, Junge, das war knapp!« Morrie stand still daneben, eine drohende, massige Gestalt. Als Vivian hart Ruder legte, fühlte er, daß sich Karen an ihm festhielt, um das Gleichgewicht nicht zu verlieren. Ihre Anwesenheit gab ihm Kraft. Er zog sie an sich und legte ihr einen Arm um die Schultern. Alle vier schwiegen, nur die Maschinen unter ihren Füßen brummten gleichmäßig, und die Wellen klatschten gegen die Bordwand. Schließlich hatte Vivian das Boot auf dem neuen Kurs stabilisiert. Er seufzte tief. 03.00 Uhr morgens. Erst zwei Stunden waren vergangen, seit sie in der Hütte gestanden und dem Franzosen zugeschaut hatten, wie er pedantisch die gefälschten Banknoten zählte.

»Morrie, übernehmen Sie!« befahl er plötzlich. »Kurs Nord, 20° Ost.« Dann wandte er sich an Cooper: »Halten Sie die Augen offen, es könnten Zollkreuzer unterwegs sein, die uns suchen.« Er führte Karen in den Salon hinunter. »Mal sehen, was du abbekommen hast.«

Nachdem er sich vergewissert hatte, daß die Bulleyes abgeblendet waren und die Tür zum Ruderhaus geschlossen, machte er Licht. Karen saß mit gesenktem Kopf da, alle Kraft schien sie verlassen zu haben.

Er war entsetzt über das, was er sah. Ihre rote Jacke war verschmutzt, der Rock an mehreren Stellen zerrissen; ihre Arme und Beine bluteten, wo die Dornen sie gestochen hatten. Zärtlich reinigte er ihre Wunden. Als ihre Augen sich trafen, war er bestürzt über die tiefe Trauer darin. Wieder verfluchte er sich, daß er ihr Schmerzen zugefügt hatte.

»Jetzt mußt du dich hinlegen und versuchen zu schlafen.« Seine Worte klangen ihm selber hohl. »Morgen geht es dir wieder besser, dann werden wir entscheiden, wie es weitergehen soll.«

Sie nickte und sank auf die Koje. »Und was machst du?«

Er versuchte zu lächeln. »Ich bringe uns heim. Ruf mich bitte, falls du etwas brauchst.«

Als sie die Augen schloß, zog er leise die Tür von draußen zu.

Die pechschwarze Nacht war unverändert ruhig. Nur von Zeit zu Zeit brach rauschend einer der langen Atlantikroller, die sich in den Kanal verirrt hatten. Die Lichter der französischen Küste waren nur noch kleine ferne Punkte.

»Alles klar, Morrie?«

Die massige Gestalt bewegte sich leicht. »Ja. Kann ich am Ruder bleiben? Es macht mir Spaß.«

»Klar. Du bist mir eine große Hilfe.«

Cooper wrang seine Hose aus und knurrte: »Ich werde heilfroh sein, wenn wir wieder in England sind.«

Später ging Vivian nochmals hinunter und sah nach Karen. Sie lag schlafend auf der Koje, ein Bein hing über den Rand und schwang im Rhythmus der Schiffsbewegungen. Ihre Brust hob und senkte sich gleichmäßig. Lächelnd legte er ihr Bein wieder zurück und deckte sie zu. Dann beugte er sich über sie und küßte sie vorsichtig auf die Stirn. Sie seufzte leise.

Als er sich am Kartentisch wieder seinen Problemen widmete, hatte er immer noch ihr schlafendes Gesicht vor Augen.

5

Vivian gähnte laut und reckte die verspannten Schultern. Seine blut-
unterlaufenen Augen schmerzten, er spürte die Bewegungen des Bootes in allen Knochen. Unwillkürlich duckte er sich, als eine hohe
Welle über den Bug schlug und Gischt gegen die Brückenfenster
klatschte. Das Wetter verschlechterte sich schnell.

Er überlegte, was passieren würde, wenn er einen Hafen anlief. Ob
schon ein Empfangskommitee aus Polizisten und Zöllnern bereit-
stand? Vielleicht war es übervorsichtig von ihm, das Boot lieber den
Kanal hinauf in den fauchenden Sturm zu prügeln.

Wieder schüttelte eine See den starken Rumpf; er hörte in der
Kombüse irgend etwas herunterfallen und zerbrechen. Schwere
Schritte kamen den Niedergang herauf, und Morrie blinzelte unbe-
eindruckt durch die Seitenfenster.

»Morgen«, nickte Vivian kurz, zu müde für lange Konversation. Er
übergab das Ruder und stellte sich hinter Morrie, wachsam den Kompaß beobachtend. Aber er brauchte sich keine Sorgen zu machen, der
große Mann hatte das Boot voll unter Kontrolle und wiegte sich langsam im Takt der Wellen.

Gähnend kletterte Vivian in den Salon hinunter. Dort sah es im
grauen Dämmerlicht ungemütlich aus. Auf dem Boden lagen Bücher
verstreut, die aus den Regalen gesprungen waren, alle Polster waren
verrutscht. Mühsam räumte er auf, dann legte er sich aufseufzend hin
und stützte sich mit einem Bein gegen die heftigen Schiffsbewegungen ab.

Benommen starrte er das Kofferradio an, das Cooper letzte Nacht
mitgeschleppt hatte. Es lag sorgfältig zwischen Kissen eingebettet in
einer Ecke, seine verchromten Armaturen glänzten billig und vulgär.
Vivian fragte sich, woher Cooper die Energie genommen hatte, das
schwere Ding zu schleppen, obwohl er doch offensichtlich nahe
daran gewesen war, völlig den Kopf zu verlieren. Aber dann schob er
den Gedanken beiseite und dachte an Karen. Er konnte es immer
noch nicht fassen, daß sie in seiner Kabine schlief, daß sie soviel ris-
kiert hatte, um ihn zu warnen. Sie war Muir mehr als gewachsen gewesen. Der mußte verrückt gewesen sein, sich nur deshalb mit Karen
einzulassen, um ihn zu fangen – einen kleinen Schmuggler. Er runzelte die Stirn. Wieso eigentlich Schmuggel? Muir hatte sogar von
Drogenschmuggel gesprochen!

Plötzlich saß er senkrecht auf der Koje, sein Verstand funktionierte wieder eiskalt und klar. Wenn Muir an Drogenschmuggel interessiert war, dann doch nur, weil Drogen *in* das Land geschmuggelt wurden. Wieder wanderte sein Blick zum Radio hinüber. Entsetzt stöhnte er auf und kniete sich vor das blitzende Ding.

Hastig öffnete er die Rückwand und blickte verdutzt auf das Durcheinander aus Spulen und Röhren. Dann begann er langsam und vorsichtig, alle Einzelteile zu untersuchen. Nichts Verdächtiges. Sorgsam löste er die sehr große Trockenbatterie heraus und befühlte den Hohlraum dahinter. Sein Fingernagel kratzte am Metallgehäuse. Als das Boot sich in einer Welle schüttelte, rutschte die Batterie von seinem Knie und polterte zu Boden. Beim Aufheben entdeckte er, daß das Batteriegehäuse angebrochen war; durch den Schlitz in der bunten Papphülle sah er einen Aluminiumbehälter.

Zielstrebig begann er die Hülle abzureißen, bis er schließlich einen blanken Metallkasten in der Hand hielt, 30 mal 15 cm groß und versiegelt. Nachdenklich wog er ihn in der Hand. Wieviel Geld mochte der Inhalt wert sein? Nicht zu reden von dem Elend, das er Menschen bringen würde, die von Heroin abhängig wurden.

Die *Seafox* rollte in der See, alarmiert blickte Vivian zum Ruderhaus, aber die Aussicht war ihm versperrt. Morries massige Gestalt füllte die Tür völlig aus. Sein Gesicht war ausdruckslos, aber seine Augen glommen drohend auf, als er den Kasten in Vivians Händen sah.

»Was machen Sie da?« röhrte er und kam die Stufen herabgepoltert. Seine Hände öffneten und schlossen sich unkontrolliert.

Behende wie eine Katze kam Vivian auf die Füße. Kalte Wut kochte in ihm hoch. »Bleiben Sie, wo Sie sind, Morrie!« brüllte er. »Langsam komme ich der Sache auf den Grund!« Ärgerlich schüttelte er den Kasten. »Diesem ganzen miesen Geschäft!«

Offensichtlich begriff Morrie nicht. Er schob sich näher heran, Unverständliches murmelnd, und griff nach dem Radio. Vivian wußte, daß er verloren war, wenn ihn dieser Gorilla packte. So warf er das Gerät scheinbar desinteressiert auf die Koje. Morrie sprang hinterher. Da unterlief Vivian seine wild schwingenden Arme und hieb ihm mit aller Kraft die Faust unters Ohr. Aber es war, als ob er gegen eine Mauer geschlagen hätte. Ohne Reaktion stand Morrie da. Endlich, als das Boot weit überholte, fiel er über den Tisch, der unter seinem Gewicht zersplitterte.

In der Stille hörte Vivian, daß sich jemand an der Salontür zu schaffen machte. Nun denn, Cooper, dachte er, du kommst mir gerade recht. Morrie lag da wie ein gefällter Baum, auf seinen Zügen spiegelte sich Erstaunen, lautlos öffnete sich sein Mund.

»Nanu, was treibt ihr beide denn?« Coopers Stimme klang noch verschlafen. Er hatte keine Jacke an, seine schmalen Schultern mit den breiten gelben Hosenträgern sahen lächerlich aus. Erleichtert stellte Vivian fest, daß er offenbar seine Pistole vergessen hatte.

Dann fiel Coopers Blick auf das zerlegte Radio, und er wurde blaß. »Jetzt haben Sie's zu weit getrieben, Skipper«, keuchte er.

Mit drei Schritten war Vivian bei ihm und packte ihn an der Kehle. Kalte Befriedigung durchströmte ihn, er begann ihn zu schütteln, bis Coopers Augen aus den Höhlen traten.

»Kleiner Bastard!« Vivians Stimme blieb leise, aber die Drohung darin war nicht zu überhören. »Ich will jetzt alles über euren Drogenschmuggel wissen – alles! Oder . . .« Er schüttelte den anderen wieder, »oder du kriegst die Prügel deines Lebens!«

»Um Himmels willen!« stotterte Cooper, Speichel verspritzend, »ich kann doch nichts dafür! Ich hab' nur gemacht, was mir gesagt wurde.«

»Von wem?« Vivian sah Karens ängstliches Gesicht hinter Cooper auftauchen.

»Mason!« stieß Cooper hervor. »Er kümmert sich um diese Seite des Geschäfts. Lassen Sie mich los!« Seine Stimme ging in ein klägliches Winseln über.

Vivian sah Karen erleichtert aufatmen, sie hatte wohl genauso besorgt auf die Antwort gewartet wie er. Angewidert stieß er Cooper von sich weg. Das Boot rollte und gierte gefährlich; er sah, daß die Seen schon an Deck wuschen. »Kannst du steuern, Karen?«

Sie nickte. »Ja, mir geht es wieder gut.«

Er führte sie ans Ruder und brachte das Boot auf Kurs. Als ihre kleinen Hände entschlossen in die Speichen griffen, ging er beruhigt in den Salon zurück. Cooper sah ihm mißtrauisch entgegen, Morrie hockte brütend in der Ecke.

»Also, hört zu, ihr Früchtchen. Ich will nicht noch mehr Ärger. Wir müssen das Boot erst mal sicher nach Hause bringen, und ich bin der einzige, der das kann. Verstanden?« Er wartete, bis sie begriffen hatten. »Morrie, Sie schnappen sich einen Ölmantel, gehen nach vorn und halten Ausguck.«

Der große Mann kam schwankend auf die Füße und stolperte an Deck, den Ölmantel zog er wie einen Fetzen hinter sich her.

»Und Sie, Cooper«, Vivian drehte sich zu dem anderen Mann um, »können jetzt Tee kochen und ein paar Sandwiches schmieren.«

Der Kleine warf einen schnellen Blick auf das Radio, das immer noch auf dem Sofa lag. »Und was machen Sie damit? Mr. Mason rechnet doch mit dieser Sendung.«

»Das geht alles über Bord. Irgendwelche Einwände?«

Cooper zuckte nur ergeben mit den schmalen Schultern. Vivian hob Gehäuse und Batterie auf und ging nach draußen. Als er die Tür aufschob, sah Karen ihm voll Sorge entgegen. Erstaunlich, wie gut sie mit dem Boot zurechtkam.

Mit weit ausholender Bewegung warf er die Batterie in die kochende See, das Radio folgte. Dann schlug er die Hände gegeneinander und atmete tief durch. »Das war's! Der Stoff ist von Bord.«

Er hörte Cooper in der Kombüse mit dem Kessel hantieren. Nachdem er sich überzeugt hatte, daß auch Morrie vorn seinem Befehl folgte, stellte er sich neben das Mädchen und stopfte seine Pfeife, im Rhythmus der Schiffsbewegungen schwankend. Das Boot schob sich zielstrebig über die langen Wellenzüge.

»Wo fahren wir eigentlich hin?« fragte Karen nach einiger Zeit.

Sorgfältig drückte er den Tabak zurecht. »Ich glaube, daß nur Ramsgate in Frage kommt. Jedenfalls fällt mir nichts Besseres ein. Sollten Muir und der Zoll wirklich auf uns warten, können wir ihnen ohnehin nicht entwischen.«

»Was wirst du ihnen erzählen, wenn sie an Bord kommen?« Ihr Blick hing am Kompaß.

»Nun, offiziell war ich mit den beiden Figuren da unten auf einer Angeltour. Ich kann sagen, daß wir vor der Küste beigedreht haben, bis sich der Sturm ausgeweht hatte. Schließlich habe ich die britischen Hoheitsgewässer offiziell nie verlassen.« Er erlaubte sich ein schiefes Grinsen. »Denken können sie, was sie wollen. Nur du machst mir Sorgen.«

»Ich, Philip? Wieso?«

»Du solltest nicht an Bord sein. Außerdem möchte ich dich nicht in diese schmutzige Angelegenheit verwickeln.«

»Vielleicht werden wir ja gar nicht kontrolliert.« Aber als sich ihre Augen trafen, wurde ihm klar, daß sie beide nicht daran glaubten.

»Das erinnert mich daran, daß ich das Angelgerät klarlegen muß. Kommst du allein zurecht?«

»Ich schaffe es, solange ich dich in der Nähe weiß.« Sie schauderte. »Aber mit diesem Cooper möchte ich nicht alleine sein.«

Während er sich mit dem Angelgerät beschäftigte, kam Cooper in den Salon. Sein Gesicht zeigte erste Anzeichen von Seekrankheit, mühsam balancierte er ein Tablett mit dampfenden Teebechern.

»Ich glaube, ich muß mich hinlegen«, stöhnte er. »Mir geht's nicht besonders.«

»In Ordnung. Aber spielen Sie Ihre Rolle als Chartergast gut, wenn's soweit ist.«

Mit einem Rülpser flog Cooper nach unten. Vivian stellte das Tablett ab und brachte zwei Becher Tee ins Ruderhaus. »Hier, trink«, sagte er zu Karen. »Ich übernehme das Ruder.«

Sie schwiegen und blickten auf die See und die ziehenden Wolken hinaus. Das heiße Getränk tat ihnen wohl.

»Wir werden mir Schuhe besorgen müssen, sobald wir im Hafen sind«, meinte Karen plötzlich. »Meine Sandalen hab' ich verloren.«

Er lächelte gerührt.

»Ah, schon besser, Philip. Jetzt siehst du nicht mehr so grimmig aus.«

»Tja, ich fürchte, ich bin kein guter Gesellschafter.«

»Im Gegenteil, ich bin gern in deiner Gesellschaft. Seltsam eigentlich, wenn man bedenkt, wie wenig ich über dich weiß. Ich weiß nur, daß du in dein Boot verliebt bist und wohl schon einiges durchgemacht hast.«

Zu seiner eigenen Überraschung begann er ihr von seiner wechselvollen Karriere zu erzählen. Aber das lag wahrscheinlich an seinen aufgestauten Gefühlen. Er wunderte sich, daß es ihm möglich war, ihr Dinge zu schildern, die er sonst tief in seinem Innern verborgen hatte. Sie hörte aufmerksam zu, und als er geendet hatte, fühlte er sich ausgelaugt und müde.

Sie blickte ihn in ihrer ruhigen, ernsthaften Art an. »Danke,« sagte sie einfach. »Jetzt geht's mir besser.«

Sein Herz machte einen Sprung. »Was ich wirklich sagen wollte . . .«, stammelte er, »es ist mir sehr wichtig, mit dir zusammenzusein.« Verwirrt brach er ab.

»Ich verstehe, was du sagen willst.« Sie legte ihm die Hand auf den Arm. »Aber das müssen wir nicht jetzt besprechen.« Sie schüttelte sich das Haar aus dem Gesicht, und er bewunderte ihre Frische nach allem, was sie durchgemacht hatte.

»Danke, Karen«, sagte er heiser. »Ja, wir haben vieles zu besprechen, wenn das alles hinter uns liegt.« Ein schwacher Sonnenstrahl fiel ins Ruderhaus, durch die Wolken schimmerten kleine blaue Flekken. »Es scheint doch noch ein schöner Morgen zu werden«, schloß er, und sie verstand ihn ohne weitere Worte.

An Deck waren Schritte zu vernehmen, dann erschien Morries breites Gesicht vor dem Fenster. »Ein Boot kommt von achtern auf!« meldete er.

Vivian hob sein Fernglas. Durch die starken Linsen sahen die Seen erschreckend hoch aus. Mit einiger Mühe fand er den niedrigen blauen Rumpf, dessen scharfer Vorsteven Gischt aufwarf, während er in Höchstfahrt auf sie zuhielt.

»Der Zoll«, murmelte er. »Morrie, holen Sie Cooper, er soll sich ins Ölzeug werfen. Dann fummeln Sie beide mit dem Angelzeug herum. Und tun Sie verdammt noch mal so, als ob es Ihnen großen Spaß mache!«

Dann wandte er sich dem Mädchen zu, Sorge stand in seinen Augen. »Du bleibst erst mal außer Sicht. Kannst du in den Kettenkasten klettern?« Sein Blick wanderte nach vorn, wo in dem engen Raum die Ankerkette lag.

»Ich weiß, wo das ist. Keine Sorge, ich bin leise wie ein Mäuschen.« Damit verschwand sie.

Nach einem letzten Blick hinaus nahm Vivian die Seekarte vom Kartentisch und ersetzte sie durch eine andere des gleichen Gebiets. Nur waren andere Kurslinien darauf und zeigten, daß sie sich die ganze Zeit innerhalb der britischen Drei-Meilen-Zone aufgehalten hatten. Noch einmal schaute er sich um. Na denn, dachte er dann und reduzierte langsam die Fahrt. Eine Bewegung an Deck erregte seine Aufmerksamkeit, aber Morrie hatte nur die schwere Hochseeangel ausgeworfen.

Aus dem Schatten des Ruderhauses beobachtete Vivian den Zollkreuzer, der nur noch eine Kabellänge entfernt war. Sein Name *Pursuit* war deutlich zu erkennen. Ob es auch diesmal ein so freundliches Gespräch geben würde wie beim letzten Mal? Vivian erschrak, als er eins der hellen Gesichter hinter dem Brückenschirm erkannte: David Muir.

Er nahm das Gas weiter zurück, und als Folge rollte *Seafox* unbehaglich in den tiefen Wellentälern. Das Zollboot schoß heran, Morrie humpelte auf die Steuerbordseite und brachte die Fender aus. Auf dem anderen Boot standen zwei Seeleute mit den Leinen bereit.

Beide Rudergänger beobachteten sorgfältig den Seegang, die Schiffsbewegungen und den kleiner werdenden Abstand. Als Vivian den sanften Zusammenstoß der Rümpfe fühlte, hörte er die Zöllner an Deck springen. Die Leinen wurden wieder losgeworfen, *Pursuit* schor weg, blieb aber in der Nähe.

Das Ruderhaus füllte sich mit Männern. Als erster kam der rotbärtige Zolloffizier, den Vivian vom letzten Mal kannte; ihm folgten zwei jüngere Beamten, und als letzter trat David Muir ein, das hübsche Gesicht ernst und besorgt.

Der Offizier nickte kurz angebunden. »Guten Morgen, Sir. Ich fürchte, diesmal ist es streng dienstlich.«

»Dann werden Sie sicherlich auch so nett sein und mir erklären, was das Ganze soll? Vivian versuchte seine Stimme unter Kontrolle zu halten. »Nanu, ich will verdammt sein, wenn das nicht David Muir ist! Was zum Teufel treiben Sie beim Zoll?«

»Mr. Muir ist mein Vorgesetzter«, erklärte der andere. »Wie ich sehe, überrascht Sie das.«

»Nun ja, ich muß zugeben, daß es mich merkwürdig berührt.« Vivian hatte das Gefühl, daß sich Muir seiner Sache sehr sicher war.

»Wenn es Ihnen nichts ausmacht, Sir, übernimmt jetzt einer meiner Männer das Ruder, damit wir uns unterhalten können.« Der Blick des Offiziers war kühl und forschend.

»Natürlich macht mir das etwas aus!« bellte Vivian ärgerlich. »Ich will wissen, worum es hier geht!«

»Das reicht.« Das rote Gesicht des Zöllners blieb ausdruckslos. »Erst mal möchte ich wissen, warum Sie nicht die Flagge ›Q‹ führen?«

Schulterzuckend übergab Vivian das Ruder an einen der scharfäugigen jungen Männer. »Ich war nicht im Ausland, darum! Wir haben auf See gewartet, bis der Sturm abflaute. Das ist doch noch erlaubt?«

Muir lächelte ein wenig. »Wir wollen hinuntergehen, Vivian, während meine Männer das Boot durchsuchen.« Er blickte ihn scharf an. »Wir wurden informiert, daß sich Schmuggelware in Ihrem Besitz befindet, genauer gesagt: Drogen.«

Ärgerlich fuhr Vivian auf. »Quatsch! Ich habe keine Drogen an Bord und auch kein Schmuggelgut.« Aber er folgte Muir in den Salon. Der Offizier ging an Deck, um mit Morrie und Cooper zu sprechen, der vierte Mann studierte die Seekarte.

Muir setzte sich gelassen. »Sie können ebensogut gleich die Wahrheit sagen: Wo ist der Stoff? Meine Männer werden ihn finden, selbst wenn wir das Boot in Stücke reißen müßten.«

»Sind Sie verrückt? Ich habe Mr. Cooper zum Fischen hinausgefahren. Das mache ich öfter.«

»Und was ist mit Ihrem geplanten Auslandstrip?« Muirs Stimme wurde hart. »Ich bin kein Narr, Vivian, und wir wissen beide, daß ich recht habe.«

»Besagter Trip ist noch nicht zustande gekommen. Mein Chef, Mr. Jensen, wird Ihnen das sicher bestätigen. Warum fragen Sie ihn nicht?«

»Vielleicht tun wir das.« Er blickte fragend auf, als der Offizier in den Salon kam. Dieser schüttelte den Kopf.

»Er leugnet natürlich«, sagte Muir.

»Wieso natürlich?« fauchte Vivian. »Wir sind nicht alle Banditen!«

»Das wird sich herausstellen«, bemerkte der Offizier. »Kann ich mich auch hier umsehen, Sir?«

»Meinetwegen.«

Aus den Augenwinkeln beobachtete Vivian, wie sich die beiden Uniformierten ans Werk machten. Er spürte, daß sein Gesicht feucht wurde, als er an Karen in ihrem Versteck dachte.

Muir klopfte mit einer Zigarette auf ein silbernes Etui, seine Augen blitzten spöttisch. »Tut mir wirklich leid, Vivian. Mein wahrer Beruf muß eine ganz schöne Überraschung für Sie sein.« Er wischte sich Tabakkrümel von seinem makellosen grauen Anzug. »Aber ich würde auch einen guten Börsenmakler abgeben, denken Sie nicht?«

Vivian grinste freudlos. »Ich sage Ihnen lieber nicht, was ich denke. Eigentlich hatte ich immer Respekt vor unserem Zoll – bis ich Sie traf.« Aber Muir blieb ungerührt.

Vivian hörte, daß der Waschraum durchsucht wurde, dann wurden Schränke aufgeklappt.

»Ihre Geschichte ist wirklich nicht sonderlich gut«, fuhr Muir herablassend fort.

»Ich sage Ihnen doch, daß wir die Küstengewässer nicht verlassen haben.« Allmählich wurde Vivian müde.

»Aber einen glaubwürdigen Zeugen dafür haben Sie nicht?« fragte Muir fröhlich.

»Wie wäre es denn mit mir?« Die klare Stimme klang wie ein Pistolenschuß in der engen Kabine.

Muir fuhr herum, sein Mund blieb offen stehen, während er Karen angaffte. Schlank und schön stand sie in der Tür.

»Karen! Was tust du denn hier? Wie bist du an Bord gekommen?« Muir kam ins Stottern, seine ganze Selbstgefälligkeit war verschwunden. »Wir waren doch noch vorgestern abend zusammen.«

Sie ließ ihn eine ganze Weile zappeln, und als sie schließlich antwortete, waren ihre blauen Augen eiskalt, ihre Stimme klang verächtlich.

»Ich wollte mich eben mal amüsieren, das wird Philip bestätigen können. Sie werden es allerdings kaum verstehen, Herr Börsenmakler – oder sind wir jetzt unter die Zöllner gegangen?«

Muirs Gesicht wurde schamrot. »Das hat nichts mit meinen Gefühlen für dich zu tun, Karen«, flehte er. »Ich hatte doch keine Ahnung . . .«

»Keine Ahnung, daß ich Ihre Lügen durchschaut habe?« Der Ärger machte ihren dänischen Akzent noch deutlicher.

Vivian hörte die beiden Zollbeamten hinter sich verlegen hüsteln. Zweifellos hatten sie keine Ahnung von den Zusammenhängen.

»Sicher verstehst du doch, daß ich meine Pflicht tun muß?« Muir schien sich jetzt des interessierten Publikums bewußt zu werden.

»Alles, was ich weiß . . .« Zum ersten Mal zitterten ihre Lippen, »ist, daß du mir gesagt hast, du würdest mich lieben und wolltest mich heiraten!«

Man hätte eine Stecknadel im Salon fallen gehört. In Vivian, der mit den Zöllnern schon beinahe Mitleid gehabt hatte, stieg wieder Ärger auf. Einer der Uniformierten räusperte sich laut. »Heißt das, das Boot ist sauber, Sir?«

»Oh, äh – ja, natürlich«, stammelte der völlig verwirrte Muir. »Das ist übrigens Miss Jensen, sie hat gerade bestätigt, daß sie die ganze Nacht an Bord war.« Er wandte sich wieder an das Mädchen. »Stimmt das?«

»Ja«, sagte sie fest. »Die ganze Nacht. Und sollten Sie jetzt nicht mehr der Meinung sein, daß ich im Ausland war, um ein bißchen Schmuggler zu spielen, dann möchte ich Sie bitten zu gehen!«

Muir nickte seinen Männern zu. Der Offizier seufzte. »Dann vielen Dank, Mr. Vivian, daß wir uns umsehen durften.« Aber seine Augen blickten ärgerlich.

Die drei Zöllner gingen an Bord ihres Kreuzers, und Vivian merkte, daß Muir neben ihm zögerte. »Anscheinend habe ich mich geirrt«, sagte er langsam.

»In vielem, scheint mir!« Vivian streckte ihm die Hand hin. »Das haben Sie hier vor ein paar Tagen verloren.« Er reichte Muir seine Ausweise. »Sie sehen also, *ich* wußte Bescheid. Da ist es doch kaum wahrscheinlich, daß ich trotzdem etwas Illegales versuche, oder?«

Muir wurde kreidebleich, ungläubig nahm er seine Brieftasche entgegen. Schließlich drehte er sich wortlos um und ging.

Die Boote drifteten auseinander, hinter dem Zollkreuzer peitschten die Propeller weißen Schaum auf. Muir blickte nicht mehr zurück. Bewegungslos stand Vivian da, kalten Schweiß auf der Stirn, und sah ihnen nach.

»Halleluja, sie sind verduftet!« Cooper plierte um die Ecke des Ruderhauses.

»Angeln Sie weiter!« Vivian koppelte die Selbststeuerung ein, dann trat er zu Karen, die jetzt ganz kraftlos schien. Ihre Augen schwammen in Tränen. Sie wehrte sich nicht, als er sie an seine Brust zog.

»Es ist vorbei«, tröstete er sie leise. »Ich wußte gar nicht, daß ihr so eng befreundet wart.«

Ihre Antwort wurde durch den Stoff seiner Jacke gedämpft. »Schon gut, Philip, es war ein Irrtum. Ich wußte nicht, was ich wollte.«

»Jetzt weißt du es?« Sein schneller Atem verriet seine Gefühle.

Sie hob das tränenüberströmte Gesicht. »Ja, jetzt weiß ich es.« Sie legte ihm beide Hände auf die Schultern.

Er fühlte ihren warmen Körper dicht an seinem und konnte sich nicht mehr beherrschen. Ihre Lippen verschmolzen.

»Mein Liebling«, sagte er leise, »jetzt wird alles gut.« Wieder küßte er sie.

Ihre kleinen Hände schoben ihn von sich ab. »Bitte, Philip«, flüsterte sie, »wir müssen vernünftig bleiben!« Sie wischte sich die Tränen aus dem Gesicht. »Ich gehe jetzt in deine Kajüte, um ein wenig allein zu sein.« Sie blies ihm noch einen Kuß zu, dann war sie fort.

Lange wußte Vivian nicht, was tun. Blicklos starrte er auf die Seekarte, seine Hand glitt über das Kompaßgehäuse, gedankenlos spielte er mit seiner Tabakpfeife. Dann grinste er glücklich und ging wieder ans Ruder.

Schnell stabilisierte er *Seafox* auf neuem Kurs, denn die grauen

Wellenbrecher von Ramsgate lagen schon voraus. Eine schwarze Fahrwassertonne tanzte vorbei und knickste höflich vor der schmukken Motoryacht, die in den Hafen zog. Vivian überzeugte sich, daß Morrie die Festmacherleinen bereitlegte. Erfreut stellte er fest, daß das Deck schon in der warmen Sonne dampfte. Die See und die Wolken sahen wieder harmlos aus, selbst die Turbulenzen des Gezeitenstroms schienen gemäßigt.

Er blinzelte in der Helligkeit und zog den Mützenschirm tiefer herunter. Auf den Hafenmauern drängten sich buntgekleidete Menschen und erinnerten ihn an Torquay. Er freute sich schon darauf, Karen dorthin mitzunehmen, wenn alle Komplikationen hinter ihnen lagen.

Bewundernd beobachtete er sie, deren Gestalt sich schlank vom blauen Himmel abhob. Ihr Haar wehte in der Seebrise, der Rock flatterte um ihre Beine. Sie hielt sich an der Reling fest und lachte ihm mit blitzenden weißen Zähnen zu.

Das Boot glitt in den Schutz der hohen Mauer, wo ihm der Hafenmeister einen freien Platz anwies. Vivian kuppelte die Maschinen aus und ging längsseits an grüne, schleimige Pfähle. Die Fender quietschten, helfende Hände nahmen ihnen die Festmacherleinen ab. Als die Maschinen zur Ruhe kamen, waren sie plötzlich wieder da, die Geräusche der Außenwelt, Gelächter und ferne Musik. Dankbar strich er übers Ruder und trat von der Gräting zurück.

Karen plauderte mit dem Hafenmeister, der das Ticket für ihr Liegegeld ausstellte. Er grinste ein Willkommen.

»Hallo, Mr. Vivian, schön Sie wiederzusehen.«

Schnell traf er die notwendigen Vereinbarungen über das Nachfüllen von Diesel und Frischwasser, dann kletterte der kleine Mann wieder die Kaimauer hinauf.

»Was hast du mit ihm ausgeheckt?« fragte er Karen.

»Ich habe ihn gefragt, wo ich Sandalen kaufen kann. Drüben am Hafentor ist ein Laden, bis dorthin werde ich barfuß laufen.« Ihre Augen blitzten. »Du brauchst mich also nicht zu tragen.«

Cooper kam herangeschlendert, energisch versuchte er, sein Jakkett geradezuziehen. »Was haben Sie jetzt vor?« Sein Blick war scharf und wachsam.

»Ich muß ein paar Dinge besorgen«, erwiderte Vivian ausweichend. »Und Sie werden vermutlich nach London fahren, um Mason die schlechte Nachricht zu bringen?«

Cooper rieb sich das Kinn. »Ich rufe ihn lieber an. Er wird es nicht mögen.«

»Noch weniger wird ihm gefallen, daß Mr. Jensen aus der Partnerschaft aussteigt. Er hat es satt.«

Coopers Gesicht verdunkelte sich. »Hoffentlich tut er nichts Unüberlegtes, schließlich sind wir von ihm abhängig.« Er wandte sich an Morrie, der nach oben in die Gesichter der gaffenden Urlauber starrte. »Komm, Holzkopf, wir haben zu tun!«

Der große Mann ging, ohne Vivian noch einmal anzublicken. Dieser lachte in sich hinein. Was für ein Pärchen, dachte er.

Oben steuerte er Karen durch das Gedränge zu dem Laden für Urlauberbedarf. Als sie ihre Sandalen und noch einen Badeanzug gekauft hatte, hielten sie nach einer Telefonzelle Ausschau.

»Vergiß nicht, Karen, erzähl ihm alle Einzelheiten, aber sprich dänisch, damit niemand mithören kann.« Ermutigend drückte er sie an sich.

Obwohl Vivian von dem Gespräch nichts verstand, hörte er doch heraus, wie froh der alte Jensen war, wieder von seiner Nichte zu hören. Sie sprach schnell, dann hielt sie die Sprechmuschel zu. »Er will wissen, wann wir nach London zurückkommen«, flüsterte sie. »Und er ist stinkwütend auf Mason.«

»Sage ihm, daß wir heute kommen. Wir mieten ein Auto, das geht schneller.« Er tippte ihr auf den Arm. »Und sag' ihm, er soll Felix warnen, sonst weiß der arme Teufel nicht, wie er Mason in Schach halten soll.«

Er wird genauso froh sein wie ich, daß alles vorbei ist, dachte er.

In einem schattigen Lokal aßen sie zu Mittag und wanderten schließlich Hand in Hand zum Hafen zurück. Ohne Morrie und Cooper wirkte die *Seafox* viel freundlicher und einladender.

»Laß uns noch mal zum Schwimmen fahren, bevor wir in das scheußliche London zurückkehren«, schlug Karen vor.

Leise vor sich hin summend, schlüpfte er in seine Badehose. Während er das Boot abfierte, genoß er den spätsommerlichen Sonnenschein auf seinen breiten Schultern; sein Körper saugte die Wärme gierig ein. Er kletterte ins Dingi und beobachtete die Menschen oben auf der Pier und die gierig kreischenden Möwen.

Ein Schatten fiel über ihn, und im nächsten Augenblick saß er kerzengerade da. Karen kam an Deck. Sie trug einen hellblauen Badeanzug, der ihre Figur ins beste Licht rückte, und bewegte sich mit natürlicher Anmut. Er half ihr ins Boot und spürte, wie das Verlangen in ihm aufstieg. Dicht aneinandergelehnt standen sie mehrere Sekunden da und blickten einander in die Augen. Ihre Lippen waren halb geöffnet.

»Vielleicht sollten wir besser ablegen, Vivian«, flüsterte sie schließlich, »bevor es da oben einen Menschenauflauf gibt.«

Draußen vor dem Hafen war das kleine Boot ihre Privatinsel. Die überfüllten Strände, die bunt in der Ferne leuchteten, gehörten zu einer anderen Welt.

»Ahoi, *Seafox*!«

Vivian zuckte zusammen, als er den lauten Ruf von der Pier vernahm. Der Hafenmeister winkte ihm.

»Telefon! In meinem Büro!«

Vivian seufzte und zog eine Grimasse. »Es geht los!« sagte er zu Karen, die sich das Haar trockenrieb. »Das wird Felix sein.«

Er kletterte auf die Pier. »Wo ist das Telefon!«

»Ziemlich weit weg«, kicherte der Hafenmeister, »im Büro am Haupttor. Ihre Freunde haben wohl Geld.« Pfeifend ging er davon.

»Mist!« murmelte Vivian, dann lächelte er zu Karen hinunter. »Es wird nicht lange dauern, ich beeile mich.«

»Philip!«

Ihre Stimme ließ ihn verharren. »Was ist los?«

Sie kam schnell zu ihm herauf und legte ihm die Arme um den Hals. »Nichts. Ich hatte nur plötzlich so ein komisches Gefühl, das ist alles.« Sie zitterte, vielleicht war ihr kalt in dem nassen Badeanzug.

»Zieh dir was über, dann gehen wir zusammen.«

»Ach nein, es ist schon vorbei.« Sie rieb das Gesicht an seiner Schulter. »Aber komm schnell zurück.«

Er lachte. »Schneller, als du ›Skal‹ sagen kannst!«

Ohne Schwierigkeiten fand er das Büro. Der Telefonhörer lag wartend auf dem Schreibtisch, taktvoll ging der Hafenbeamte hinaus und schloß die Tür hinter sich. Vivian nahm den Hörer und meldete sich.

»Na endlich«, drang eine grobe Stimme an sein Ohr. »Wie schön, daß Sie doch noch Zeit fanden zu kommen.«

»Wer spricht da? Was wollen Sie?«

Ein heiseres Lachen. »Ach, Sie kennen mich nicht? Das überrascht mich aber. Schließlich haben Sie mir beim letztenmal gedroht, erinnern Sie sich nicht?«

»Mason!« stieß Vivian hervor. »Verschwenden Sie nicht meine Zeit. Es ist aus und vorbei.«

»Augenblick!« Die Stimme wurde schärfer. »Hören Sie mir lieber zu. In Ihrem eigenen Interesse.«

»Also gut, aber machen Sie's kurz!«

»Es geht um die Druckplatten, die unser gemeinsamer Freund loswerden möchte. Ich will sie haben!«

Darauf würde ich mein letztes Hemd wetten, dachte Vivian. Jensen hatte also schon mit Mason gesprochen. »Ich verstehe nicht, was ich . . .«

»Oh, Sie werden gleich verstehen, das kann ich Ihnen versprechen. Ich sage, daß ich die Platten haben will. Es gibt keinen Grund, eine so munter sprudelnde Geldquelle zuzuschütten, oder?«

»Zur Sache!« Vivian wurde ungeduldig.

»Gleich. Ich muß erst mal aus dem Fenster schauen.« Nach einer Pause fuhr Mason schneidend fort: »So, und jetzt werde ich Ihnen sagen, was ich von Ihnen erwarte: Sie werden mir die Druckplatten besorgen und zu einem Ort bringen, den ich Ihnen noch nenne. Kapiert?«

»Sie sind verrückt!« Vivian war völlig konsterniert. »Ich sage Ihnen doch, daß ich . . .«

»Warten Sie!« Das war ein Befehl. »Ich bekomme von Ihnen die Platten – oder Ihre kleine Freundin hat ein paar sehr ungemütliche Stunden vor sich.«

»Wenn Sie ihr auch nur ein Härchen krümmen, machen Sie lieber Ihr Testament!« Vivian kochte jetzt vor Wut.

»Noch eine Drohung?« Mason lachte höhnisch. »Zu spät! Wir haben sie schon! Sie war ein leckerer Anblick da eben vor meinem Fenster.«

Wie blind starrte Vivian das Telefon an, eiskalte Furcht kroch ihm den Rücken herauf.

»Wenn Sie die Platten haben, hängen Sie ein weißes Handtuch an die Reling. Und keine Dummheiten, Vivian! Vor allem keine Polizei, sonst erkennen Sie Karen nicht wieder, falls Sie sie überhaupt je wiedersehen!« Erbarmungslos fuhr Mason fort: »Wissen Sie eigentlich, was man mit Rasierklingen alles anstellen kann?«

»Schwein!« Vivians Kehle war wie zugeschnürt, seine Augen brannten.

»Vergessen Sie die Platten nicht: Ich will die Platten! Und Sie werden sie mir besorgen.« Ein teuflisches Lachen. »Das kommt davon, wenn man sich in Geschäfte einmischt, die eine Nummer zu groß sind.« Die Leitung war tot.

Vivian legte auf und stürmte hinaus, rannte schweißgebadet zurück zur Pier. Als er an Deck stand, wußte er, was er schon den ganzen Weg gefürchtet hatte: Karen war nicht an Bord. Er blickte in alle Kabinen und rief ihren Namen, schließlich öffnete er auch seine eigene Kajüte. Sein Herz drohte zu zerspringen, als er nur ihre auf der Koje verstreuten Kleider sah.

Das Boot lag völlig ruhig, das Wasser klatschte leise gegen den Rumpf. In seiner Verzweiflung spürte Vivian den wahnsinnigen Wunsch, alles um sich herum zu zertrümmern.

Nur langsam beruhigte er sich. Karen war verschwunden. Entführt! Er mußte kühl kombinieren. Wo immer sie war, sie hatte lediglich ihren Badeanzug an, und die Entführer mußten sich ihrer Sache sehr sicher gewesen sein. Er kletterte an Deck, das helle Licht blendete ihn. Mason hatte aus dem Fenster nach ihr ausgeschaut, er mußte sich also in Ramsgate befinden, nicht in London, wie er irrtümlich angenommen hatte. Die Gegner waren über jede seiner Reaktionen informiert gewesen, sie brauchten nur zu warten und zu beobachten.

Ein Segler lehnte gelangweilt an einem Poller und nickte ihm freundlich zu. Vivian kletterte zu ihm hoch, seine Gedanken überschlugen sich fast.

»Haben Sie eine junge Dame von Bord gehen sehen?« Er versuchte, ruhig zu sprechen.

»Na klar, vor etwa fünf Minuten ist sie abgeschwirrt.« Der Mann blickte Vivian neugierig an. »Alles in Ordnung mit Ihnen?«

Vivian unterdrückte den Impuls, laut hinauszuschreien, was geschehen war, denn ihm fiel Masons Drohung ein: »Wissen Sie eigentlich, was man mit Rasierklingen alles anstellen kann?« So schüttelte er den Kopf und blickte zur Seite. »Ja. Ich frage mich nur, wohin sie gegangen ist.«

»Ein Mann kam mit einer Nachricht, und schon war sie weg!« Er grinste. »Natürlich habe ich ihr nachgesehen, ihr Badeanzug saß wirklich toll.«

»Kannte sie den Mann?«

»O ja, bestimmt. Sie lief mit ihm zum Ende der Pier.« Er kicherte. »Behalten Sie die bloß im Auge, sie macht allen Männern weiche Knie. Sie können sich glücklich schätzen.«

Glücklich! Das Wort klang ihm höhnisch in den Ohren, während er hastig durch den Sporthafen lief. Aber nirgends fand er einen Hinweis auf ihre Anwesenheit, nichts sah verdächtig aus.

Verzweifelt kehrte er zum Boot zurück und überlegte seine nächsten Schritte. Er mußte sofort zu Jensen und die Druckplatten holen – das konnte kein Problem sein. Aber was würde Mason danach tun? Sein Wort halten? Der Gedanke, daß sie den drei widerlichen Kerlen hilflos ausgeliefert war, ließ ihn wieder schwitzen. Er warf sich sein Jackett über und stopfte Geld in die Tasche. Er würde sich ein Auto mieten und zu Jensen fahren. Dann konnte er hierher zurückkehren und den Köder auslegen. Aber schnell, nur schnell! Er verschloß das Boot und lief zum Kai, wo er eine Autovermietung fand, die ihm für einen sündhaften Preis einen uralten Ford überließ.

Eine Stunde später, die Schatten der Alleebäume wurden schon lang, fegte er mit durchgedrücktem Gaspedal über die verlassenen Straßen Richtung Hampton Court. Es war wie ein Alptraum, die Fahrt schien kein Ende nehmen zu wollen. Als seine Scheinwerfer eine öffentliche Telefonzelle erfaßten, kam er mit quietschenden Reifen zum Stehen.

Er fummelte nach Münzen und Jensens Telefonnummer. Die Vermittlung meldete sich.

»Welchen Anschluß, bitte?«

Er mußte die Nummer zweimal wiederholen, dann wartete er, während es in der Ferne knackte und rauschte.

»Tut mir leid, die Leitung ist tot. Wenn Sie warten wollen, ziehe ich weitere Informationen ein.«

»Nein danke, nicht nötig.« Verzweifelt knallte er den Hörer auf, und wieder donnerte der Wagen über die dunklen Straßen.

Keine Zeit, keine Zeit! Diese Worte zuckten ohne Pause durch sein schmerzendes Hirn. Nur das schnelle Fahren beruhigte ihn etwas. Die Straße bog nach links ab, er sah Wasser blitzen, als er sich in den Fahrzeugstrom an der Kingston Bridge einreihte. Jetzt war es nicht mehr weit. Jensen würde bestimmt einen Ausweg wissen.

6

Das Haus lag völlig dunkel da, als Vivian durch die Einfahrt schleuderte. Er stellte den Motor ab und blieb einen Augenblick sitzen, um seine Gedanken zu ordnen. Perplex blickte er auf die schwarzen Fenster und die hohe Eingangstür.

Jensen war anscheinend nicht zu Hause. Wie sollte er nun weiter vorgehen? Er rutschte vom Fahrersitz und schloß leise die Wagentür. Vielleicht kam er auch so ins Haus. Vorsichtig schlich er über den Rasen, dabei den dunklen Blumenbeeten ausweichend. Seit seinem ersten Besuch hier schienen ihm Jahre vergangen zu sein. Er erinnerte sich, wie er Mason in seinen Händen gehabt und wie eine Ratte geschüttelt hatte. Hätte er damals in die Zukunft schauen können, hätte er ihn wahrscheinlich umgebracht, dachte er verzweifelt.

Sein Fuß stieß gegen einen Stein, dann fühlte er den Kiesweg unter seinen Sohlen. Einen Augenblick später stand er vor einer der hohen Verandatüren und preßte das Gesicht gegen das Glas, versuchte in die Dunkelheit dahinter zu spähen. Dann erinnerte er sich an die dicken Vorhänge. Aber er mußte hineingelangen! Jensen konnte er immer noch eine Nachricht hinterlassen, falls er die Druckplatten nicht fand. Langsam drehte er sich um und blickte prüfend in den Garten. Die Haushälterin hatte offensichtlich einen freien Abend, er würde ungestört arbeiten können.

Mit einem tiefen Atemzug wandte er sich wieder der Tür zu. Das Schloß sah aus, als ob es Schwierigkeiten bereiten würde. Da schlüpfte er aus dem Jackett, preßte es gegen die mittlere Scheibe und schlug kräftig mit der Faust zu. Das Glas fiel splitternd nach innen auf den Teppich. Lauschend neigte er den Kopf. Niemand schien etwas gehört zu haben.

Er schüttelte die Jacke aus und schlüpfte wieder hinein, plötzlich ganz ruhig. Nun ließ sich die Tür öffnen. Nachdem er von innen die Vorhänge zugezogen hatte, tastete er wie blind nach einem Schalter.

Einige Augenblicke stand er geblendet im strahlenden Licht und rieb sich die schmerzenden Augen. Im Raum hatte sich nur wenig verändert, die Blumenvasen und wertvollen Möbel standen noch an ihren Plätzen. Sein Blick fiel auf den schweren Eichenschreibtisch vor dem Nachbarfenster. Die meisten Schubfächer waren herausgezogen, Papiere lagen unordentlich auf dem Boden verstreut, aber sie hatten nichts mit seinem Vorhaben zu tun. Entschlossen drang er weiter ins

Haus vor, um Jensens Werkstatt zu finden, von der Lang gesprochen hatte.

In der dunklen Halle verfluchte er sich dafür, daß er vergessen hatte, seine Taschenlampe mitzunehmen. Wie ein Schlafwandler tastete er sich in einen schmalen Flur, der von der Haupthalle abzweigte. Der Puls dröhnte ihm laut in den Ohren, sein Ärmel streifte über die Holztäfelung zweier Türen. Plötzlich blieb er stocksteif stehen und starrte gebannt auf einen schmalen Lichtstrahl vor sich. Er kam unter einer geschlossenen Tür hervor.

Vivian lauschte in die Dunkelheit, aber alles blieb totenstill. Nur die alte Standuhr in der Halle hinter ihm tickte vernehmlich. Er streckte die Hand aus, seine Finger glitten vorsichtig über die Türfüllung, die mit eisernen Beschlägen versehen war. Die Klinke, die er endlich fand, ähnelte einem altertümlichen geschmiedeten Türklopfer.

Er hielt den Atem an und drehte langsam den schweren Knopf. Es klickte, und die Tür schwang auf.

Er kniff die Augen zusammen und spähte wachsam in den kleinen zellenähnlichen Raum. Seine Wände bestanden aus roh behauenen Steinen, die man nur weiß gekalkt hatte, sonst waren sie völlig kahl. Dieser Raum mußte zum uralten Teil des Hauses gehören. Er musterte den abgetretenen Fliesenboden, auf dem nur ein paar alte Teppiche lagen.

An einer Wand stand ein langes hölzernes Gestell mit mehreren, offenbar erst kürzlich fertiggestellten Werbeplakaten. Ein Mädchen in buntem Kleid lachte ihm von einem Rheindampfer fröhlich zu, daneben dräuten die gewaltigen grauen Mauern von Edinburgh Castle.

Also war das hier Jensens Arbeitszimmer. Vivian warf einen letzten Blick in den finsteren Flur hinter sich, dann schloß er die Tür. Überrascht erkannte er vielfältiges Arbeitsmaterial: Zeichenbretter, Papierstöße, Druckrahmen, Stifte – wo sollte er in diesem Chaos mit der Suche beginnen? Seltsam, daß Jensen fortgegangen war, ohne das Licht auszuschalten. Vielleicht kam er ja in Kürze zurück. Vivians Blick fiel auf einige alte Blechkästen hinter den Zeichenbrettern. Sie sahen so aus, als ob sich eine Durchsuchung lohnen könnte.

Leichtfüßig stieg er über eine Palette. Rote Farbspritzer glitzerten auf den Fliesen. Er ging um einen Tisch herum – und eine eiskalte Hand griff nach seinem Herzen. Er blickte in die gebrochenen Augen von Nils Jensen, der hinter dem Tisch auf dem Boden lag, verkrümmt, den einen Arm ausgestreckt, den anderen unnatürlich verdreht unter dem Körper.

Vivian zwang sich, in das Gesicht zu blicken, das schon wie eine Totenmaske aussah. Das füllige graue Haar ließ ihn an einen Schrumpfkopf denken. Sanft nahm er die verkrampften Fingerklauen hoch und schauderte, als er ihre Kälte spürte. Obwohl er schon viele Tote gesehen hatte, mußte er würgen, als er den alten Mann auf die Seite rollte. Sein Hinterkopf war eine einzige blutige Masse.

Sein Blick folgte den dunklen Spuren auf dem Fußboden, die er für rote Farbe gehalten hatte, und kehrte zu dem Stift zurück, der zwischen den langen dünnen Fingern steckte. Heiße Wut stieg in ihm auf, als er sich vorzustellen versuchte, was hier geschehen war. Jensen mußte am Tisch gesessen haben, dessen Stuhl jetzt umgestürzt war. Nachdem ihn der Mörder von hinten erschlagen hatte, war er über den Boden gekrochen, um zwischen seinen geliebten Bildern zu sterben. Dafür würde ihm Mason büßen, dachte Vivian, und wenn es das letzte war, was er tat.

Wieder kniete er sich neben den alten Mann und blickte ohne Furcht in die aufgerissenen Augen, die im Licht der Lampe wie Glas schimmerten. Vorsichtig schob er eine Haarsträhne aus der zerfurchten alten Stirn, es war wie ein letzter Gruß. Armer dummer alter Mann, dachte er dabei, und seine Augen wurden feucht, hoffentlich bist du jetzt wieder mit deiner Familie zusammen.

Als er sich erhob, stieß er gegen den Tisch, und dabei fiel sein Blick auf ein Skizzenpapier, mit schwungvollen Linien und kunstvollen Schattierungen. Vivian erinnerte sich an den Bleistift in der kalten Hand. Damit mußte Jensen gerade beschäftigt gewesen sein. Vivian erstarrte, als er eine kleine Skizze erblickte, die wie unabsichtlich in eine Ecke gekritzelt worden war. Zuerst war ihm nicht klar, warum ihn gerade diese Zeichnung so ansprach, warum sie ihm so bekannt erschien. Es waren Planken wie auf einem Schiffsdeck. Ein Deck – das war's! Erregung packte ihn: Die schnell hingeworfene Skizze zeigte den Maschinenraum der *Seafox*. Ein Motor war zu sehen, und unter der Schwungscheibe waren ein paar Planken geöffnet, als ob auf das Versteck des Geldes hingewiesen werden sollte. Aber irgend etwas stimmte auf dem Bild nicht. Siedend heiß durchfuhr es Vivian – es war die falsche Maschine, die an Steuerbord! Die Backbordmaschine war undeutlich im Hintergrund zu erkennen.

Je länger Vivian die Skizze betrachtete, desto überzeugter wurde er, daß sie eine Botschaft enthielt. Jensen mußte sie angefertigt haben, während er sich mit seinem Mörder unterhielt. Ein Strich, den er zuvor nur für einen Ausrutscher gehalten hatte, zeigte vom Motor weg auf einen Stapel Servierplatten, auf denen eine Katze saß.

»Die Platten!« Seine Stimme klang laut in der Stille des Arbeitszimmers. Natürlich! Das war es, was ihm Jensen mitteilen wollte: Die Platten waren unter der anderen Maschine versteckt! Jensen mußte sie dort deponiert haben, während er ihn um Ballast nach achtern geschickt hatte.

Kalter Schweiß brach ihm aus, während er sich vorstellte, wie Jensen überlegt die Skizzen angefertigt hatte, genau wissend, daß jede Sekunde seine letzte sein konnte. Er wußte, daß nur Vivian die Botschaft verstehen würde. Und das alles geschah, während er mit Karen schwimmen gefahren war . . .

Er begann unkontrolliert zu zittern, eine unnatürliche Kälte überfiel ihn. Er preßte beide Hände fest auf die Tischplatte, bis die Schockreaktion abgeklungen war. Das alles war so schrecklich, so irreal! Verwirrt schüttelte er den Kopf und versuchte, einen Plan zu entwerfen.

Er mußte die Polizei anrufen und den Mord melden. Aber sofort verwarf er diesen Gedanken wieder. Er konnte die Stimme am Telefon förmlich hören, ruhig fragend: »Ein Mord, Sir? Von wo sprechen Sie? Wer sind Sie?« Sie würden ihm kein Wort glauben. Außerdem mußte Karen aus der Sache herausgehalten werden. Masons Worte kamen ihm wieder in den Sinn: »Keine Polizei!«

Jensen konnte er nicht mehr helfen. Aber dem Dänen konnte auch niemand mehr etwas anhaben. Das war die richtige Betrachtungsweise. Und wer half ihm selbst? Felix! Der alte Kriegskamerad würde ihm beistehen.

Atemlos rannte Vivian durch den dunklen Korridor zurück ins Wohnzimmer zum Telefon. Er zwang sich dazu, sich auf eine Ecke des Schreibtisches zu setzen, und preßte den Hörer ans Ohr. Nichts! Gereizt drückte er mehrfach auf die Gabel, aber die Leitung blieb tot. Richtig, das hatte ja auch schon die Vermittlung festgestellt. Entschlossen folgte er dem Kabel durch den Raum, bis ihn die blanken Kupferlitzen anzugrinsen schienen, die aus der Wand gerissen waren. Da schwankte er und mußte sich mit einer Hand an der Wand abstützen. Der Mörder war wirklich gründlich gewesen.

Irgendwo in der Ferne, wo das Leben noch in normalen Bahnen

verlief, startete ein Auto mit lautstarken Fehlzündungen. Vivian versuchte logisch zu denken: Die Haushälterin konnte jeden Moment zurückkommen, sie durfte ihn hier nicht antreffen. Er setzte sich an die Schreibmaschine und spannte einen Bogen mit Jensens Briefkopf ein, dann machte er eine kurze Pause, um den phantastischen Plan zu überdenken, der in seinem Kopf Gestalt gewann. Schließlich begann er, eine Nachricht an die Haushälterin zu schreiben: Jensen sei unerwartet nach London gerufen worden und würde erst in einigen Tagen zurückkehren. Sie solle das Telefon reparieren lassen und sich keine Sorgen machen. Mit zusammengepreßten Lippen tippte er schließlich die Initialen N. P. darunter und legte den Brief so auf den Tisch, daß sie ihn sofort finden mußte.

Sorgfältig sammelte er danach die Scherben der eingeschlagenen Fenstertür auf und versteckte sie in der untersten Schublade. So würde die Haushälterin das Loch nicht sogleich entdecken, und falls doch, war es eben nicht zu ändern.

Nach mehreren Versuchen fand er Jensens Schlafzimmer und stopfte schnell ein paar Kleidungsstücke in einen kleinen Koffer. Er wollte das Zimmer schon verlassen, als sein Blick auf eine Fotografie neben dem Bett fiel. Ein Stich ging ihm durchs Herz, denn Karen blickte ihn darauf an, eine glücklich lächelnde Karen. Mit zitternden Fingern nahm er sie hoch. Vergib mir bitte, was ich hier tue, Liebling, dachte er, aber es muß sein, zu deiner Sicherheit und für dein Glück. Er stellte das Bild wieder hin und schaltete das Licht aus. Mit einem Aufstöhnen machte er sich wieder auf den Weg zu dem Toten im Atelier. Dort versteckte er den Koffer unter einem Stapel alter Kunstmagazine. Dann steckte er das Skizzenblatt ein, das Jensens letzte Arbeit gewesen war. Nach einem schnellen Rundblick vergewisserte er sich, daß der altertümliche Schlüssel draußen im Schloß steckte, dann löschte er das Licht und schloß die Tür hinter sich ab. Auch die Eingangstür zog er fest zu, bis er das Sicherheitsschloß einschnappen hörte. Eine kühle Brise raschelte in den Bäumen und machte ihm deutlich, wie stark er vor Schreck und Angst geschwitzt hatte.

Widerwillig sprang der alte Ford an. Als er wieder über die Kingston Bridge rollte, kamen Vivian die Worte seines ersten Kommandanten in den Sinn, dem er versucht hatte, eine Fehleinschätzung während eines Gefechts zu erklären: »Solche Dinge passieren nicht anderen Leuten, Vivian, die passieren nur *Ihnen*!« Der Mann hatte recht behalten – bis zum heutigen Tag.

Hell erleuchtet sah er die Telefonzelle vor sich, von der aus er versucht hatte, Jensen anzurufen. Das schien hundert Jahre her zu sein.

»Hallo?« Felix' Stimme klang verschlafen und unfreundlich.

»Felix, hier ist Philip.« Vivian mußte sich räuspern, das Sprechen fiel ihm schwer. »Hör zu, ich stecke in der Tinte.«

»Das habe ich gehört, Jensen hat mir alles erzählt. Freut mich, daß alles so glimpflich abgegangen ist . . .«

»Mann, hör doch erst mal zu!« Vivian schrie es fast. »Ich komme gerade von dem Alten. Er ist tot!« Er hörte Felix nach Luft schnappen. »Sie haben seine Nichte, und als Gegenleistung wollen sie die Platten!« Er hielt inne. »Hast du verstanden?«

»Beruhige dich, alter Junge.« Langs plötzlich wachsame Stimme gab Vivian wieder Hoffnung. »Ich habe alles verstanden. Hast du denn die Platten?«

»Beinahe. Er hat mir zum Glück eine Nachricht hinterlassen. Was soll ich machen?«

Lang schwieg eine Zeitlang, Vivian konnte seinen schweren Atem hören. Dann sagte er entschlossen: »Fahr zu deinem Boot zurück und warte dort auf mich. Ich komme nach, sobald ich aufgeräumt habe, was du hinterlassen hast.«

»Ist schon geschehen, Felix.«

»So – alles? Na gut, dann hau ab. Ich bin schon unterwegs.«

Ramsgate kam ihm vor wie eine völlig fremde Stadt, als seine Scheinwerfer über die grauen Häuserfronten huschten. Selbst der professionell mißtrauische Blick eines Streifenpolizisten erschreckte ihn. Er stellte den Wagen auf dem Hinterhof des Verleihs ab, dann machte er sich mit hochgeschlagenem Mantelkragen auf den Weg zum Hafen. Seine Schritte klangen hohl auf dem Pflaster.

Es war Niedrigwasser, und er mußte die ganze schleimige Leiter hinunterklettern, bis er auf dem Deck der *Seafox* stand. Verzweifelt erinnerte er sich daran, wie Karen hier am Ruder gestanden hatte. Nun schien ihm auch das Boot fremd geworden zu sein. Loses Gerät klapperte und quietschte, alles wirkte so unwirklich in der Nacht.

Schnell warf er einen Blick in die Runde, dann ließ er sich vorsichtig in den Maschinenraum hinunter und quetschte sich in den schmalen Raum zwischen die schweigenden Motoren. Energisch hob er die Flurplatten an der Steuerbordmaschine an und warf sie zur Seite. Dann tastete er in der Tiefe der Bilge herum, bis er ein

Päckchen fand. Hastig entknotete er das dicke Bändsel und riß die Segeltuchhülle herunter. Dann starrte er auf die matt glänzenden Metallplatten.

Er nahm die oberste in die Hand und studierte die feinen Linien und Muster der Oberfläche. Das war also Jensens Arbeit, in die er soviel Zeit und Können investiert hatte. Dafür hatte man ihn umgebracht, und dafür waren die Killer zu allem bereit. Er schluckte schwer. Sogar zu Mord und Entführung.

Er lehnte sich zurück, die Platten nachdenklich in den Händen wiegend. Wenn er sie Mason übergab, wer garantierte ihm, daß Karen dann wirklich freigelassen wurde? Nun hatte er ein Pfund, mit dem er wuchern konnte. Er mußte Zeit gewinnen und erreichen, daß man ihn zu Karen brachte.

Wieder studierte er die Druckplatten. Sie stellten jeweils die Vorder- und Rückseiten der verschiedenen Banknoten dar. Wenn er eine Hälfte behielt, konnte er vielleicht mit Mason verhandeln: eine winzige Hoffnung, aber besser als nichts. Sorgfältig wählte er eine Hälfte der Platten aus, die andere verstaute er wieder unter dem Schwungrad, dann rückte er die Bodenplatten zurecht.

Er wickelte die erste Hälfte der Platten in das Segeltuch und kletterte ins Ruderhaus hinauf. Dort versteckte er das Paket in einem Schränkchen und verschloß es sorgfältig. Karens Kleider sammelte er zusammen und verstaute sie sorgfältig in einem kleinen Seesack.

Im Salon fand er eine kleine Whiskyflasche und goß sich ein volles Glas ein. Der Schnaps brannte scharf in seiner Kehle, half ihm aber, wieder klar zu denken. Sein Blick fiel auf einen Brieföffner neben dem Büchergestell. Die Jungs von der Guards Armoured Division hatten ihm den anläßlich einer Party im besetzten Deutschland geschenkt, gleich nach der Kapitulation. Nachdenklich wog er ihn in der Hand. Er war fünfundzwanzig Zentimeter lang und sehr scharf, eigentlich eher eine Waffe als ein Werkzeug für den Schreibtisch. Vielleicht konnte er von Nutzen sein. Vorsichtig steckte er ihn in eine Socke, nachdem er die scharfe Schneide mit Papier umwickelt hatte, um sich nicht selbst zu verletzen. Versuchsweise lief er ein paar Schritte auf und ab; ja, so ging es, er konnte sich frei und ungezwungen bewegen.

Er warf einen Blick auf seine Armbanduhr. Felix würde bald hier sein, vielleicht sollte er ihm entgegengehen. Fröstelnd zog er sich die Leiter zur Pier hoch und blickte auf das weiße Handtuch hinunter, das er auf dem Vorschiff zum Trocknen aufgehängt hatte. Es erinnerte ihn an die weiße Flagge einer Kapitulation.

Die Konturen des Bootes wurden schon schärfer, der Morgen kam mit langen grauen Fingern zögernd über den Horizont gekrochen. Es konnte der wichtigste Tag seines Lebens werden.

Müde begann er, in Richtung des Hafentores zu gehen. Eine aufgescheuchte Möwe kreischte laut, ihre harten Augen beobachteten den einsamen Wanderer. Ein Milchwagen ratterte unnatürlich laut über das unebene Pflaster. Vivian blieb stehen, er hatte das Heulen eines Autos vernommen, das scharf gefahren wurde.

Der lange Bentley schoß um die Kurve der Hafenstraße, und sogar im Dämmerlicht erkannte Vivian die dicke Schmutzschicht auf der eleganten Kühlerhaube. Eine Tür schlug zu, und Lang kam in einem teuren Kamelhaarmantel auf ihn zumarschiert.

»Danke, daß du gekommen bist.« Vivian fiel auf, wie müde und grimmig der andere aussah.

Lang grinste flüchtig und reckte die Arme. »Schon gut. Wir wollen hier draußen reden, Janice sitzt im Wagen. Sie ist ziemlich fertig.« Er lachte verlegen. »Das arme Kind ist bis oben voll Drogen. Mason ist abgehauen, ohne ihr zu sagen, wohin er wollte oder wie lange er wegbleiben würde.« Er fummelte nach einer Zigarette. »Ich habe ihr etwas gegeben, damit sie schläft. Schließlich ist jetzt alles so gut wie vorbei, und ich werde sie bei mir behalten.«

Sie liefen auf und ab, und Vivian erzählte. Schließlich legte ihm Lang eine Hand auf den Arm. »Hast du dieses verdammte Signal schon angebracht, Philip?«

Vivian deutete auf das weiße Handtuch. »Ja, gleich nachdem ich angekommen bin.«

»Wir müssen sehr vorsichtig sein. Mason ist ein verdammt schlauer Bastard, mach dir da keine Illusionen.« Er blieb abrupt stehen, anscheinend war er zu einem Entschluß gekommen. »Du wirst tun müssen, was sie von dir verlangen. Sie haben kein bißchen Angst vor dir, ihnen ist klar, daß sie dich kalt erwischt haben. Ein falscher Zug von dir, und du weißt, was Karen passiert!«

»Ich glaube nicht, daß Mason Wort halten wird«, warf Vivian ein.

»Aber er rechnet nicht mit mir!« Langs Stimme klang böse. »Hält er seinen Teil der Abmachung nicht ein, bekommt er es mit mir zu tun.« Mit einer Handbewegung unterband er Vivians Protest. »Ich werde immer wie ein Schatten hinter dir sein, wo du auch sein magst.« Er blickte sich nach dem Bentley um. »Aber jetzt muß ich mich erst mal um ein Zimmer für Janice kümmern, damit sie sich ausschlafen kann.« Er wandte sich zum Gehen. »Sobald ich das geregelt habe, komme ich sofort zurück. Wir stehen diese Sache zusammen durch!«

»Danke, Felix. Jetzt geht's mir schon viel besser.«

»Geschenkt, alter Freund. Schließlich habe ich dich in diesen Mist hineingezogen.«

Vivian sah ihm nach, bis sein breiter Rücken im Wagen verschwand, dann ließ er sich zur *Seafox* hinunter. Er rasierte sich und zog sich saubere Kleider an, dann warf er sich auf die Koje. Sein Kopf sank hintenüber, sein Atem wurde schwer und gleichmäßig. Er schreckte erst wieder hoch, als sich Felix Lang an Bord plumpsen ließ.

Er trug jetzt einen schneidigen Blazer, eine dezente Flanellhose und schicke Bordschuhe. Seine rosigen Wangen glänzten frisch, er duftete nach einem teuren Aftershave. Draußen erwachte der Hafen zum Leben. Der Ladebaum eines Kümos quietschte laut, als dort Bauholz abgeladen wurde. Auf dem Kai war das Poltern vieler Füße zu hören, Fischkisten wurden zu den wartenden Trawlern geschoben.

Vivian stieg ins Ruderhaus, nahm das Fernglas und musterte die schwitzenden Hafenarbeiter und Seeleute. Dann konzentrierte er sich auf die Hotels und Pensionen an der Strandpromenade. Auf den Balkonen flatterten Handtücher im Wind, halbtrockene Badeanzüge erinnerten an fröhliche Stunden am Strand. Irgendwo dort drüben mußten sie Karen gefangenhalten. Er sah sie wieder vor sich in ihrem kessen blauen Badeanzug ... Verzweifelt hieb er die Faust aufs Schandeck. Ihm war schlecht vor Hilflosigkeit.

Er fuhr herum, als er Felix auf den Stufen des Niedergangs hörte. Etwas in den Augen des anderen ließ ihn erstarren. »Was ist?«

»Vorsicht!« warnte Lang. »Da kommt jemand!«

Einen Augenblick starrte Vivian ihn verständnislos an, dann begann er hastiger zu atmen. Schnell drehte er sich um.

»Wo?«

Lang deutete mit dem Kopf auf die geschwungene Pier, die sich hinter dem Boot wie eine mittelalterliche Festungsmauer auftürmte. »Der Junge dort! Siehst du ihn?«

Vivian musterte die Menschen, dann blieb sein Blick an einem kleinen Jungen hängen, der langsam auf sie zugelatscht kam. Ein Briefumschlag leuchtete weiß in seiner dreckigen Hand. Er blieb an der Leiter stehen und kniff die Augen zusammen, während er langsam den Bootsnamen buchstabierte. Dann sah er, daß Vivian ihn beobachtete, und grinste mit weißen Zähnen.

»*Seafox*, Mister?«

»Richtig.« Vivians Herz schlug heftig.

So 'n Kerl hat mir da oben an der Straße einen Brief für Sie gegeben.« Er kratzte sich unter dem schmierigen Hemd. »Soll ihn hier abliefern.« Dann schien ihm ein neuer Gedanke zu kommen. »Danke, das is' Ihnen doch was wert, oder?«

Während Vivian die Leiter hochkletterte, sprang der Junge vor und fing die glänzende Münze im Fluge, die ihm Lang von der Ruderhaustür aus zugeworfen hatte.

»Danke, Mister!« Die Augen des Jungen wurden vor freudiger Überraschung ganz rund.

Vivian riß ihm den Umschlag aus der Hand. Pfeifend schlenderte der Junge fort. Vivian lehnte sich an die Mauer und spürte die Wärme der Steine durch sein Hemd. Hastig riß er das Kuvert auf.

Die Nachricht war mit Schreibmaschine getippt: *Bringen Sie das Päckchen um zehn Uhr zur Kreuzung Royal Parade und Westcliff Promenade. Kommen Sie alleine. Sollten Sie alles verstanden haben, holen Sie das Signal ein. Vergessen Sie nicht – keine Tricks!*

Diese verdammten kaltschnäuzigen Hunde, dachte Vivian. Sie waren sich ihrer Sache so sicher. Er blickte zur anderen Hafenseite hinüber, denn von dort aus würden sie ihn jetzt beobachten.

Da drehte er sich wütend um und riß das Handtuch von der Reling.

Im Ruderhaus, wo Lang außer Sicht geblieben war, las er die Botschaft noch einmal. Sein Freund nickte langsam und blickte nachdenklich auf seine Armbanduhr. »Noch zwei Stunden Zeit«, sagte er, und es klang, als ob ein Richter das Urteil spräche. »Bis du gehst, bleibe ich unter Deck, Philip. Der Feind soll nicht unsere wahre Stärke kennen.«

Vivian holte das schwere Päckchen aus dem Schrank und steckte es unter sein Hemd. Er spürte die scharfen Kanten der Platten an Rippen und Ellenbogen.

»Wie pflegten wir immer zu sagen, Felix?« Er lächelte erinnerungsschwer. »Näher ran an den Feind!«

7

Am Ende der langen Steintreppe, die in den Steilhang geschlagen und bei den Einheimischen als »Jakobsleiter« bekannt war, blieb Vivian stehen, um wieder zu Atem zu kommen. Während er darauf wartete, daß sich sein Puls beruhigte, ließ er den Blick über das Panorama wandern, das sich ihm von hier oben bot. Der Hafen und das Fahrwasser lagen wie eine Karte vor ihm ausgebreitet, die Boote, Kais, Häuser und zwergenhaften Menschen schienen seltsam fern.

Ein kalter Windstoß fuhr durch die Bäume und wirbelte Papierfetzen auf. Die Straße oben auf der Klippe war völlig verlassen. Aus den weißen Hotels und Pensionen schienen die Urlauber geflüchtet zu sein.

Zum hundertsten Mal blickte er auf seine Uhr. Noch eine halbe Stunde Zeit. Aber es hatte ihn nicht unten im Hafen gehalten, seit auch nur die geringste Chance bestand, Karen aus den Händen dieser Mistkerle zu befreien.

Er zog die Mütze tiefer, um seine Augen vor dem aufgewirbelten Sand zu schützen, den die heftigen Böen in kleinen Windhosen über die Straßen trieben. Den kleinen Seesack mit Karens Kleidern trug er unter dem Arm. Das schwere Päckchen mit den Bleiplatten drückte gegen seine Rippen. Langsam schlenderte er die ansteigende Straße empor, auf die besagte Kreuzung zu. Der Platz war mit Bedacht ausgesucht worden, weil er viele Möglichkeiten zur Überwachung, Annäherung und zur Flucht bot. Obwohl Vivian wußte, daß Lang in einer Nebenstraße im Auto saß, um ihm Rückendeckung zu geben, hatte er das Gefühl völliger Verlassenheit. Nur sein verbissener Zorn und sein Tatendrang trieben ihn vorwärts. Seine Augen wurden hart, als er sich vorstellte, wie sich seine Hände um Masons Hals legen würden.

Langsam fuhr ein Auto vorbei. Mißtrauisch musterte er die Insassen, sah aber nur in die gelangweilten Gesichter zweier Tagesausflügler. Fluchend beschleunigte er seine Schritte. An der Kreuzung blieb er stehen, lehnte sich an der Bushaltestelle gegen einen Lampenmast und ließ den Blick über die Häuserfronten wandern. Von Zeit zu Zeit fuhr ein Reisebus oder ein Lastwagen auf dem Weg nach Dover vorbei, gelegentlich zischte auch ein Personenwagen über den Asphalt. Außer zwei Geschäftsleuten waren keine Fußgänger unterwegs.

Auf der anderen Straßenseite hielt eine kleine schwarze Limousine, und Mason zwang sich, gelangweilt in eine andere Richtung zu blikken, denn sie trug die weiße Aufschrift POLIZEI. Undeutlich hörte er das Murmeln des Polizeifunks und merkte, daß ihn der Sergeant auf dem Rücksitz beobachtete. Schon machte er sich darauf gefaßt, daß er jeden Augenblick aussteigen und zu ihm herüberkommen würde. Er fühlte sich schuldig – ohne zu wissen, warum.

Dann stieg ein heißer Schreck in ihm auf. Zur Hölle mit ihnen, sie sollten verschwinden! Wenn jetzt die Gangster kamen, würden sie erbost weiterfahren, weil sie annehmen mußten, daß er die Polizei eingeschaltet hatte. Und Karen?

Andere Wagen fuhren vorbei, aber die Polizisten machten keine Anstalten, sich zu entfernen. Vivians Hände waren schweißnaß, als er nach den Druckplatten griff. Sein Rücken schmerzte, aber er wagte sich nicht zu bewegen.

Da vernahm er das Jaulen eines Motors in hohem Drehzahlbereich, das mit jeder Sekunde durchdringender wurde. Als er den Kopf wandte, sah er ein grellbuntes Motorrad herangeschossen kommen. Der Fahrer trug Helm und Schutzbrille, seine Zähne waren grinsend gebleckt. Seine jugendliche Mitfahrerin hielt ihn fest umklammert und rief ihm ermunternde Worte ins Ohr. Die Wirkung war erstaunlich, was die Polizeistreife anging. Der Sergeant stieß den Fahrer in den Rücken, der Motor brüllte auf, und mit quietschenden Reifen sprang der Wagen förmlich vorwärts und verschwand um die nächste Kurve auf der Jagd nach dem Motorrad. Vivian sprach ein stummes Dankgebet, während in der Ferne das Jaulen der Polizeisirene verklang.

Fast augenblicklich schob sich ein anderer Wagen langsam um die Kurve. Vivians Herz begann zu klopfen, als er Morries stumpfes Gesicht hinter der Scheibe erkannte. In einem schwungvollen Bogen wendete er und hielt genau vor ihm. Die hintere Tür wurde aufgestoßen, Coopers schwarze Augen funkelten ihn auffordernd an.

Widerstrebend schob Vivian sich auf den Rücksitz und schlug die Tür zu, den kleinen Mann dabei im Auge behaltend. Nur vage nahm er wahr, daß der Wagen wieder beschleunigte. Seltsamerweise verspürte er Erleichterung. Es war wie früher bei der Navy: Tagelang war ein schwieriger Einsatz am Kartentisch vorbereitet worden, jede mögliche Gefahr hatte man erörtert. Und wenn man dann auf der Brücke stand und auslief, vergaß man die Angst – weil es kein Zurück mehr gab.

»Na, Skipper, das hat ja geklappt.« Coopers Lippen teilten sich zu einem höhnischen Grinsen.

»Hören Sie ...« begann Vivian, aber der andere winkte ungeduldig ab.

»Nein, *Sie* hören! Das Befehlen ist für Sie endgültig vorbei, jetzt bestimmen *wir*, wo's langgeht, verstanden?« Sein Blick wieselte schnell zu Morrie. »Sollten Sie auf irgendwelche komischen Gedanken kommen, geht es Ihrem kleinen Liebling schlecht.«

Vivians Magen krampfte sich zusammen. Gewaltsam mußte er sich daran hindern, das grinsende Gesicht neben sich in eine blutige Masse zu verwandeln. Als ob er seine Gedanken gelesen hätte, schüttelte Cooper in gespielter Verwunderung den Kopf. »Ich frage mich nur, wie wir mit solchen Typen wie Sie den Krieg gewinnen konnten.«

»Schon gut, Cooper, Sie sind am Drücker«, erwiderte Vivian ruhig. »Aber halten Sie jetzt den Mund. Und merken Sie sich: Sollten Sie mit Ihren dreckigen Fingern Karen auch nur angefaßt haben, bringe ich Sie um!«

»Eher lach' ich mich tot.« Cooper kicherte. »Morrie, hast du das gehört? Jetzt versucht er, mir richtig angst zu machen, der Held.« Glucksend zog er seine Zigaretten heraus.

Vivian fuhr zusammen, als er im Rückspiegel über Morries kahlem Kopf Langs silbergrauen Bentley zu erkennen glaubte, der ihnen in einiger Entfernung folgte. Zum Glück schwatzte Cooper weiter.

»Was ist denn in dem Seesack, Skipper? Wollen Sie etwa zum Camping?« Mit seinen gelben Nikotinfingern deutete er auf Vivians Füße.

»Ein paar Kleider«, erwiderte dieser kühl.

»Für die Kleine? Netter Käfer.« Er nickte wissend. »Mit der würde sogar ich gern ein Wochenende lang rammeln.«

»Sagen Sie nicht, daß ich Sie nicht gewarnt habe, Cooper!«

Der Kerl studierte die Glut seiner Zigarette, dann blickte er plötzlich auf, und seine Augen funkelten. Vivian war es, als blicke er in ein erleuchtetes Zimmer, so deutlich erkannte er das Wesen des kleinen Mannes. Es waren die wilden sadistischen Augen eines Verrückten. Cooper genoß jede Sekunde seiner Überlegenheit, und je mehr er sein Opfer quälen konnte, desto mehr Spaß hatte er. Vivian zwang sich zur Ruhe.

»Sie verstehen wohl immer noch nicht?« Cooper kicherte. »Sie sind geschlagen! *Kaputt!* Leute wie Sie sind für den Boss ein Nichts!« Als Vivian weiter schwieg, klopfte er ihm auf den Arm. »Sie hatten die Chance, groß bei uns einzusteigen, aber was haben Sie daraus gemacht? Eine einzige große Pleite! Es hat dem Boss gar nicht gefallen, daß Sie den schönen Stoff ins Meer geworfen haben. Das war dumm von Ihnen. Aber Sie waren ja von Anfang an eine taube Nuß, nicht wahr?«

Mit halbem Ohr lauschte Vivian Coopers geifernder Stimme neben sich, ansonsten konzentrierte er sich auf Morries Fahrkünste, der den schweren Wagen mit hoher Geschwindigkeit durch die Kurven jagte. Zu seiner Linken blinkte die Pegwell Bay grau und abweisend. Der Horizont war nicht zu sehen, weil eine Regenbö über der Bucht stand, die einige Minuten später auch die Straße erreichte. Die Fahrbahn verwandelte sich in eine glatte, schwarz schimmernde Schlange, Regen trübte die Scheiben. Morrie nahm eine Hand vom Lenkrad und schaltete die Wischer ein. Mit einem schnellen Blick in den Rückspiegel vergewisserte sich Vivian, daß Langs Wagen noch hinter ihnen war. Dann klingelten Alarmglocken in seinem überreizten Hirn: Sie hatten die Hauptstraße verlassen und fuhren jetzt nach Westen, tiefer ins Binnenland hinein. Ging es nach Canterbury? Hier standen nur noch vereinzelt Häuser an der Straße, nach einiger Zeit passierten sie ein Gattertor, das auf Felder und Weiden führte. Je einsamer die gewundene Straße wurde, desto weiter fiel Langs Bentley zurück. Vivian zwang sich, nicht ständig in den Rückspiegel zu schauen. Lang mußte Abstand halten, um nicht Morries oder Coopers Aufmerksamkeit zu erregen.

Zuletzt bogen sie in eine enge Nebenstraße ab, die regennaß und schnurgerade zwischen hohen Pappeln verlief. Der Bentley war verschwunden. Vivians Zuversicht sank. Offensichtlich machten seine Bewacher gar keinen Versuch, das Ziel ihrer Fahrt vor ihm zu verschleiern. Das hieß, daß es eine Einbahnstraße war – zumindest für ihn.

Plötzlich beugte sich Cooper vor und tippte Morrie auf die Schulter. »Achtung!« Das war ein Befehl.

Dann drehte er sich um und beobachtete amüsiert die Straße hinter ihnen. Über die Schulter gewandt befahl er: »Okay, runter!«

Das Getriebe knirschte, als Morrie schaltete, dann holperte der große Wagen von der Straße, auf eine grüne Wand aus Büschen zu. Vivian straffte sich für den Aufprall, aber als der Kühler in die Zweige drang, flogen sie zur Seite und kratzten nur harmlos an der Karosserie. Blätter klatschten gegen die Fenster, das Auto schob sich durchs dünne Unterholz und fuhr schaukelnd weiter. Sie waren auf einem aufgeweichten Feldweg; alte Fahrspuren zeigten, daß er sonst überwiegend von Traktoren benutzt wurde. Vivian fühlte, daß ihn Cooper beobachtete, aber er blickte stur nach vorn. Damit hätte er rechnen müssen, daß seine Gegner den Verfolger abschütteln würden. Sie hatten diesen Weg mit Bedacht gewählt und vorher getarnt.

Eine hohe Baumreihe, dann türmten sich Hügel aus Sand und Kies vor ihnen auf. Aber alles machte den Eindruck langer Vernachlässigung und absichtlicher Desorganisation. Sie hielten auf zwei der Hügel zu, deren Höhe Vivian auf ungefähr vierzig Fuß schätzte. Im strömenden Regen sah er dahinter den kalten Schimmer einer Wasserfläche: Nicht die ewig unruhige Brandung des Meeres oder die Strömung eines Flusses, nein, es war die tote Fläche eines alten Baggersees, die da unbewegt vor ihnen lag. Aufmerksam musterte er die Gegend, während Morrie den Wagen vorwärtskriechen ließ. Sie überquerten eine brüchige Brücke, und Vivian vermutete, daß sie auf eine der in dieser Gegend zahlreichen Kiesgruben zufuhren. Aus dem Augenwinkel beobachtete er Cooper, und seine Hände schlossen sich fester um das Paket mit Druckplatten. Nur eine drohende Bewegung, und er würde damit Morries Hinterkopf einschlagen. Danach wollte er sich auf Cooper stürzen, bevor der Zeit fand, seine Kanone zu ziehen.

Allerdings schien sich dieser momentan nur für die schlechte Straße und den Regen zu interessieren. Unbehaglich klappte er den Kragen seiner Jacke hoch. »Wir sollten schnell machen«, drängte er. »Halten Sie die Platten griffbereit!«

Vivian nickte, seine Augen blieben wachsam. »Sie haben sich da ein merkwürdiges Hauptquartier ausgesucht.«

»Ach, das ist nur geliehen für die Dauer der Operation, wie Sie's ausdrücken würden.« Seine schweren Augenlider zuckten, er konnte seinen angestauten Haß anscheinend kaum noch beherrschen.

Eine eisige Klammer legte sich um Vivians Hals. Was würde jetzt passieren? Wollten sie ihn erschießen, sobald er aus dem Wagen stieg? Vielleicht war auch Karen schon tot – so tot wie ihr Onkel. Vor seinem inneren Auge sah er wieder das entstellte leblose Gesicht Jensens vor sich. Nein, nicht Karen! Wütend knirschte er mit den Zähnen.

Der Wagen stoppte auf einer kleinen Ebene, die von Hügeln aus Erde und Geröll umgeben war. Eine verfallene Hütte lehnte wackelig an einer stählernen Förderkonstruktion, der Rost ihres Blechdaches leuchtete rot in der Nässe. Über der schmalen Tür hing ein Schild: »Verwaltung«. Ein kleiner roter Sportwagen parkte in der Nähe. Er wirkte hier so völlig deplaziert, daß sich Vivians Besorgnis noch verstärkte.

»Okay, jetzt bist du am Ende deines Wegs, du Arsch!« sagte Cooper mit breitem Grinsen, die häßlichen Zähne gebleckt.

Morrie stieg aus und ging mit schweren Schritten zur Hütte, kümmerte sich weder um seine Passagiere noch um den Regen. Die kalten Tropfen klatschten in Vivians gebräuntes Gesicht und klärten seine Gedanken. Mit grimmiger Resignation beobachtete er Cooper. Die Szene schien ihm völlig irreal.

Cooper blinzelte durch den Regen. »Los, kommen Sie. Oder haben Sie keine Sehnsucht nach Ihrer kleinen Freundin?«

Mit dem Seesack in der Hand folgte ihm Vivian über den nassen Kies, der unter ihren Füßen knirschte. Die beiden waren ihrer Sache völlig sicher, sie beobachteten ihn nicht einmal. Als Vivian durch die Tür trat, waren seine Muskeln gespannt, denn er erwartete einen Schlag oder Schuß. Wieder hatte er das seltsame Gefühl, daß das alles in Wirklichkeit gar nicht passierte, daß es keinen Mord gegeben hatte, keine Entführung und auch keine Angst.

Der Anblick von Mason, der hinter einem roh gezimmerten Tisch saß und ein Sandwich aß, verstärkte diesen Eindruck noch. Sorgfältig tupfte er sich die Lippen mit einer Serviette ab. Er wirkte in diesem unordentlichen Büro, von dessen Wänden die Farbe blätterte, geradezu grotesk elegant und selbstsicher – und älter, als ihn Vivian in Erinnerung hatte. Graues Licht fiel durch die schmutzigen kleinen Fenster auf sein sorgfältig gebürstetes graues Haar und die fleckige Haut. Nur die Augen waren dieselben geblieben: eiskalt und gleichgültig.

»Genau pünktlich.« Masons Stimme klang wohlmoduliert. Er winkte mit einer sauber manükierten Hand. »Suchen Sie sich einen Stuhl, wir haben ein Geschäft zu besprechen.«

Vivian blieb still stehen, die Beine leicht gespreizt. Er spürte, daß Cooper hinter ihm durch die Tür getreten war; Morrie lehnte neben Mason an der Wand.

»Wo ist Karen Jensen?« Seine Worte fielen in die Stille wie Steine in einen ruhenden See.

»Alles zu seiner Zeit.« Masons Gesicht verhärtete sich. »Haben Sie die Platten?«

Vivian trat einen Schritt vor, und sofort drückte sich Morrie von der Wand ab, die Arme lose an den Seiten wie ein Affe.

»Hören Sie, Mason, Sie mörderischer Bastard, ich habe mit Ihrer verkommenen Bande nichts zu tun. Ich will das Mädchen, dann verschwinden wir von hier.«

»Sie verhalten sich genauso, wie ich mir das vorgestellt habe. Leute Ihres Schlages reagieren alle ähnlich, wissen Sie?« Mason lächelte mit dünnen Lippen. »Ihre Freundin ist da drüben im Nebenraum.« Er deutete mit dem Kopf auf eine kleine Tür. »Aber vorher möchten wir sicherstellen, mein Freund, daß Sie schön artig sein werden, oder . . .« Er riß die Serviette mit einem energischen Ruck beiseite, und Vivian blickte in die Mündung einer kleinen Pistole, die auf seinen Magen gerichtet war.

Mason kicherte. »Sehen Sie? Sie haben nicht den Hauch einer Chance! Wir sind vor Ihnen schon mit härteren Brocken fertig geworden, glauben Sie mir.«

»Wie mit dem armen alten Jensen!«

Der kalte Hohn in Vivians Stimme ließ Mason auffahren, die Pistole zitterte. »Das reicht!« Schlagartig fiel die lässige Attitüde von ihm ab. »Legen Sie die Platten auf den Boden – und keine Tricks, sonst sind Sie fällig.« Sein Blick fiel auf den kleinen Seesack. »Was ist da drin?«

»Klamotten für sein Täubchen«, sagte Cooper hämisch.

»Auch auf den Boden damit, für alle Fälle!«

Die Platten klapperten leise, als er sie abstellte, und er hörte Cooper befriedigt glucksen.

Mason nickte ihm zu. »In Ordnung, Cooper, ich behalte ihn im Auge. Habt ihr euch auf der Herfahrt vergewissert, daß euch niemand gefolgt ist?«

»Niemand!« Das klang beleidigt,.

»Dann her mit der Sore, Morrie, gib mir die Platten.«

Der große Mann hob das Päckchen auf und legte es vor Mason auf den Tisch, der mit einem Messer der Verpackung zu Leibe ging. Als die glänzenden Bleiplatten ans Licht kamen, straffte sich Vivian, denn sicherlich würde Masons scharfes Auge sofort erkennen, daß die Lieferung nicht komplett war. Er beobachtete gespannt, wie dieser die erste Platte drehte und wendete und ihre Oberfläche begutachtete.

»Was für eine prachtvolle Arbeit«, flüsterte er dabei bewundernd. »Kein Wunder, daß wir nie Schwierigkeiten mit unseren Blüten hatten!« Er lachte kurz auf, dann legte er die Platte wieder auf den Stapel zurück. »In Ordnung, Vivian, Sie können jetzt zu Ihrer Karen. Aber keine Dummheiten!«

»Und dann?« Vivian hob fragend die Augenbrauen.

»Dann werden wir entscheiden, was wir mit euch beiden machen.« Mason schob Cooper die Pistole zu. »Durchsuch den Wäschesack, bevor du ihn zurückgibst.«

Vivian durchquerte das Zimmer und prüfte das Schloß der Tür, durch die er trat. Simpel. Der Nebenraum war kleiner und wurde nur schwach durch eine schmutzige Dachluke erleuchtet, auf die monoton der Regen trommelte.

Karen lag auf einigen alten Säcken direkt unter der Dachluke und wirkte in ihrem blauen Badeanzug wertvoll und zerbrechlich. Zuerst schien sie Vivian völlig leblos, und sein Herz wollte schon stehenbleiben. Aber dann sah er, daß sich ihre Brust unnatürlich schnell hob und senkte, die blonden Haare waren verschwitzt. Ihr Gesicht wirkte unter der Sonnenbräune grau und gespannt.

»Was habt ihr mit ihr gemacht, ihr Schweine?« Vivian wirbelte zu Cooper herum.

»Halt!« Die Pistole hob sich. »Die ist in Ordnung, nur ein bißchen unter Strom, damit sie ruhig bleibt.«

Vivian kniete sich neben Karen, schob ihr vorsichtig einen Arm unter die Schultern und zog ihren Kopf an seine Brust. Er spürte ihren schnellen Atem an seiner Wange. Vorsichtig wischte er ihr Schmutz aus dem Gesicht, dann deckte er sie mit seinem Jackett zu.

Cooper kippte den Inhalt des Seesacks auf dem Boden aus; als die Unterwäsche in den Staub flatterte, pfiff er bewundernd. Aus seiner knienden Position starrte ihn Vivian voll kalter Wut an. Wieder überkam ihn ein Gefühl der Hilflosigkeit. Wie mußten sie über ihn gelacht haben! Und wie einfach war es gewesen, ihn bei diesem Unternehmen auszutricksen, das sich rasch zum gefährlichsten seines Lebens entwickelte.

Karen seufzte an seiner Brust, und er verstärkte unwillkürlich den Griff um ihre Schultern. Daß man ihn so übertölpelt hatte, war schon schlimm genug, aber daß sie dieses Mädchen an den Rand des Todes gebracht hatten, kostete ihn fast den Verstand.

»Wollen Sie nicht endlich verschwinden?« fuhr er Cooper an. »Sie hatten Ihren billigen kleinen Triumph, nun sind Sie wohl sehr stolz auf sich.«

»Ich gehe, aber glauben Sie nicht, daß es hier einen anderen Ausgang gibt als diese Tür.« Er beugte sich vor. »Sollten Sie irgend etwas Dummes versuchen, wird es mir eine große Freude sein, der Kleinen da eine Kugel in den hübschen Bauch zu jagen.« Als er die Tür aufstieß, glänzten Speichelblasen auf seinen Lippen.

»Schwein!« Trotzdem war Vivian froh, endlich mit Karen und seinen Gedanken allein zu sein.

Es fiel ihm schwer, die Ereignisse so klar zu rekapitulieren, wie sie sich einem Außenstehenden dargestellt hätten. Für einen Fremden war er zweifellos ein Krimineller, ein Schmuggler und Schlimmeres. Aber in seinem Inneren konnte er keine Veränderungen feststellen. Auch die Menschen, mit denen er dabei zusammengearbeitet hatte, kamen ihm ganz normal vor – außer Cooper.

Sorgfältig studierte Vivian den kleinen Nebenraum. Er mußte in einer Art Anbau liegen, denn er hatte ihn von draußen nicht gesehen. Wahrscheinlich hatte man ihn hinten angefügt, zwischen das Haus und den großen Berg aus Abraum. Die Dachluke schien mit dicken Stahlstäben gesichert zu sein.

Über der Kiesgrube entlud sich plötzlich ein heftiger Donnerschlag und verebbte in der Ferne: ein schweres Gewitter. Die feuchte Luft in dem kleinen Raum wurde noch dicker.

Vorsichtig richtete er Karen auf, bis sie zusammengesunken auf dem Lager saß. Ihre Arme hingen bewegungslos herunter, was ihr das Aussehen eines verlassenen Kindes gab.

Ein fahler Blitz zuckte auf, kurz danach rollte wieder heftiger Donner über sie hinweg. Das schwere Klatschen der Regentropfen steigerte noch Vivians Unruhe. Nur keine Panik, du Narr, sagte er sich. Denk nach, denk nach!

Er schluckte trocken. Dann nahm er Karens schlaffe Hände und begann sie zu massieren. Gleichzeitig flüsterte er ihr Koseworte ins Ohr, um sie zu wecken, aber sie bewegte sich nicht. Nur ein Schauer lief durch ihren Körper.

Da stand er auf und zog sie in die Höhe. Ihr Haar klebte an seinem Hemd, ihre Füße schleiften auf dem schmutzigen Boden. So standen sie aneinandergelehnt wie zwei müde Tänzer, die darauf warteten, daß die Musik wieder einsetzte.

Er warf einen schnellen Blick zur Tür. Soweit er es beurteilen konnte, waren die anderen damit beschäftigt, eine Mahlzeit zuzubereiten. Das Klappern von Geschirr übertönte zuweilen das Trommeln des Regens auf dem Blechdach.

Er vergrub das Gesicht in ihrem Haar und zog sie enger an sich. »Mein armer Liebling«, sagte er. »Was habe ich dir bloß angetan?«

Er merkte plötzlich, daß das Gewicht ihres Körpers geringer wurde. Ihre Füße standen anscheinend wieder fester auf dem Boden. Während er atemlos wartete, tasteten ihre Hände suchend umher, schließlich versuchte sie, sich aus seinem Griff zu befreien. Ein Stöhnen entschlüpfte ihr, dann schauderte sie wieder zusammen. Ihre narkotisierten Muskeln gewannen an Kraft, ihre Augen öffneten sich und starrten ihn an. Sie spiegelten den Schock und die Angst wider, die sie durchlitten hatte, aber sie erkannte ihn nicht. Die beruhigenden Worte erstarben ihm auf den Lippen, er konnte sie nur festhalten und abwarten.

Langsam wurde ihr Gesichtsausdruck ungläubig. »Philip?«

Er brachte ein beruhigendes Lächeln zustande und nickte.

»Ich habe wohl geschlafen«, murmelte sie, in seinem Arm schwankend. »Jetzt erinnere ich mich, sie haben mir Tabletten gegeben.« Ihre Augen weiteten sich entsetzt, sie begann unkontrolliert zu zittern. »Philip! Sag, daß es nicht wahr ist, das – das mit Nils!«

Die helle Verzweiflung in ihren blauen Augen ließ ihn den Blick senken. Sein Herz war schwer von Mitleid mit ihr, gleichzeitig brannte es vor Abscheu und Haß auf die Menschen, die ihr das gesagt hatten.

Plötzlich entwand sie sich seinen Armen und packte sein Hemd. »Philip, bitte, ich muß es wissen!«

Er spürte, wie sich ihre Fingernägel in seine Haut gruben. »Es stimmt.« Er suchte nach den richtigen Worten. »Ich habe Nils gefunden, als ich versuchte, dich herauszuholen.« Schnell fuhr er fort: »Es ging sehr schnell, er mußte nicht leiden.«

Wie blind vor Gram blickte sie ihn an. »Warum haben sie das getan? Warum? Warum mußte er sterben?«

Er machte einen Schritt auf sie zu, aber sie schüttelte energisch den Kopf.

»Kannst du es mir erklären, Philip? Wie konnte das alles passieren?« Ihre Stimme hob sich, offenbar stand sie kurz vor einem hysterischen Ausbruch. »Sie haben ihn ermordet! Diese Leute haben Nils kaltblütig umgebracht! Und sie werden auch uns töten!«

Die Worte brannten sich wie mit glühendem Eisen in sein Hirn. Karen schien seine Gegenwart vergessen zu haben. Wieder sprach sie, diesmal klang es erstaunt: »Und dabei waren wir so glücklich.«

Als sie aufblickte, sah er ihre Tränen. »Sie werden uns umbringen, nicht wahr?« Er fing sie auf, als sie taumelte. Angst und Trauer brachen sich Bahn und ließen sie unkontrolliert schluchzen. Ihr ganzer Körper zuckte. Er preßte sie fest an sich, das gab ihm neue Kraft und erfüllte ihn mit wildem Haß auf jene, die soviel Elend über den einzigen Menschen gebracht hatten, den er lieben und beschützen wollte.

Ein neuer Donnerschlag direkt über ihnen verstärkte sein Gefühl der Dringlichkeit. Wenn er doch nur wüßte, was vorging! Er neigte den Kopf. »Hör mir zu, Karen«, flüsterte er in ihr Haar, »und denk immer daran: Es wird alles gut. Denk daran, daß ich dich liebe.« Er fühlte, daß sie sich in seinen Armen langsam beruhigte. »Ich überlege, wie wir hier herauskommen. Wenn du kannst, dann erzähl mir, was du von ihnen gehört hast. Aber wir haben nicht mehr viel Zeit.«

Langsam hob sie den Kopf, und er erschrak über die Verzweiflung in ihrem tränennassen Gesicht.

»Gib dir keine Mühe, Philip, es hat keinen Sinn. Dieser schreckliche Mann«, sie stockte, »dieser Cooper hat gesagt, man wird uns verschwinden lassen.« Ihr Mund zuckte. »Es soll so aussehen, als ob *du* Nils umgebracht hättest. Alles ist arrangiert, Philip, er prahlte ständig damit.«

Dieses Schwein, dachte er, dieses dreckige, verkommene Schwein.

»Er ist nur ein Papierdrachen«, antwortete er. »Wir bringen ihn hinter Schloß und Riegel, sobald wir draußen sind.«

Hätte sich Felix doch bloß nicht abhängen lassen! dachte er. Was er jetzt wohl trieb? Wahrscheinlich fuhr er zum Boot und zu Janice zurück. Wie lange würde er dort warten, bevor er die Polizei benachrichtigte?

»Karen, wir müssen uns bereithalten. Unsere Chance wird kommen, dann werden wir zusammen hier verschwinden. Bitte glaub mir das!«

Nachdenklich blickte sie ihn an. »Ich glaube dir, Philip. Ich werde dich nicht enttäuschen, wenn es soweit ist.«

Sie sagte das so vertrauensvoll, daß er sie am liebsten geküßt hätte; aber er rang sich nur ein breites Grinsen ab. »Dann zieh dich an, Mädchen, ich bewache solange die Tür.«

Er hob ihre Kleider auf, klopfte den Staub ab und reichte sie ihr. Sie drehte ihm den Rücken zu, und dabei fiel sein Blick auf ein rotes Mal an ihrer rechten Schulter.

»Woher hast du das?« Seine Stimme kam ihm selbst fremd vor.

»Von Cooper.« Sie schauderte. »Er versuchte mich zu küssen, und als ich mich wehrte, biß er mich.«

Stumm streichelte er ihren Arm, weil es ihm unmöglich war, ihr Trost zuzusprechen. Dann trat er zurück.

»Also gut, Karen, zieh dich an. Wir reden später darüber.« Er wandte sich der Tür zu.

In seinem Rücken hörte er Kleidungsstücke rascheln, sah aus den Augenwinkeln, daß sich ihr Körper hell von der schwarzen Wand abzeichnete. Er wußte, daß er einen kühlen Kopf behalten mußte, denn eine zweite Chance zur Flucht würde es nicht geben.

Als wieder ein Donnerschlag über sie hinwegrollte, machte Vivian beim Untersuchen ihrer Zelle eine Pause. Die heiße, stickige Luft ließ ihn schwer atmen, er stützte sich gegen die rauhe hölzerne Wand und zupfte sich das feuchte Hemd von der Brust.

Er hörte, daß sich Karen hinter ihm unruhig bewegte, und wußte, daß sie resigniert auf dem Rand der Pritsche saß, wie schon seit der letzten halben Stunde, während er sich das Hirn zermartert hatte, um einen brauchbaren Fluchtweg zu finden.

»Wie spät ist es, Philip?« fragte sie ängstlich.

»Ich schätze, wir haben bald Mittag. Hast du Hunger?«

»Ich habe seit gestern nichts mehr gegessen.«

Hilflos blickte er auf sie hinab. »Ich werde sie bitten, uns etwas zu geben.«

Sie zuckte die Achseln. »Spielt keine Rolle.« Das klang müde und hoffnungslos.

Er ging zu ihr hinüber und hob zärtlich ihr Kinn an. Als sie ihn anblickte, war er wieder erstaunt, welche Kraft er daraus bezog.

»Mein armer Liebling«, sagte er leise, »du bist durch die Hölle gegangen. Das war mein Fehler, und ich weiß jetzt, daß ich mich wie ein kompletter Idiot benommen habe.«

Sie versuchte den Kopf zu schütteln, aber er hielt ihr Kinn fest. »O doch, das habe ich, und wir sollten darüber nicht diskutieren. Ich würde mir gern einreden, daß ich nur ein leichtgläubiger, vertrauensseliger Bursche bin, der von Gangstern hereingelegt wurde, aber es stimmt nicht. Ich wußte, daß es verkehrt war, was ich tat. Aber ich rechnete damit, daß ich stark und klug genug sein würde, mich am eigenen Schopf aus dem Sumpf zu ziehen. Das war ein bedauerlicher Irrtum. Nur eines bedauere ich nicht.« Er schluckte. »Daß ich dich dabei kennengelernt habe.« Sie schlug die Augen nieder, und er fuhr schnell fort: »Ich liebe dich, Karen, das weißt du. Und ich schwöre dir, daß ich dich irgendwie hier herausbringen werde, damit du wieder in Sicherheit leben kannst. Und daß ich Nils rächen werde!«

Sie nahm seine Hand und legte sie an ihre Wange. »Du *bist* ein Narr, Philip, aber nicht in dem Sinne, wie du es meinst. Du versuchst mir einzureden, daß du schuld an dieser schlimmen Sache bist. Aber das stimmt nicht.«

Er wollte protestieren, doch sie fuhr entschlossen fort. »Nein, Philip, rede dir keine Schuldkomplexe ein. Ich fuhr nach Frankreich, um dich zu warnen, weil ich schon damals wußte, daß ich dich liebe. Ich glaube, das wußte ich bereits, als du unser Haus betratst. Ich sah, daß du anders warst als der Rest. Aber jetzt«, sie zuckte mit den Schultern, »jetzt sind wir leider hier gelandet.«

Er suchte nach Argumenten, doch sie drückte seine Hand mit erstaunlicher Kraft.

»Ich schaffe es, Philip. Wenn es soweit ist, werde ich dich nicht im Stich lassen. Ich bin nämlich nicht das erste Mal in Todesgefahr. Ich erinnere mich daran, daß ich als kleines Mädchen Schüsse hörte und andere Menschen sterben sah.« Sie blickte ihn an, ihre hellen Augen waren beinahe trotzig. »Glaub mir, selbst wenn es hier endet, werde ich für die wenigen Stunden Glück mit dir dankbar sein.«

Sie bückte sich und nahm die Strandsandalen vom Boden auf, die er ihr in Ramsgate gekauft hatte. Eine kurze Vision schoß ihm durch den Kopf: Er sah eine lachende Karen an seiner Seite, ihr Haar glänzte in der Sonne. Irgendwie glaubte er sogar, den Druck ihres warmen Körpers zu spüren, während sie sich in ihrem Glück sonnten.

»Siehst du, ich habe sie noch.« Sie hielt die Sandalen hoch. »War es mit uns nicht wunderbar?«

Er nickte, vor seinen Augen verschwamm ihr Bild. Im nächsten Moment lag sie in seinen Armen und preßte sich fest an ihn.

»Philip, küß mich! Später werden wir dafür keine Zeit mehr haben.«

Einen Moment sah er im Schein des nächsten Blitzes ihre Augen, dann waren sie zusammen, und ihr Mund suchte den seinen. Sie stürzten in einen wilden, atemlosen Strudel der Begierde, der ihre Verzweiflung verdrängte. Beide wußten danach, wie sehr sie den anderen brauchten.

Wie lange sie so gestanden hatten, konnte Vivian nicht sagen, aber als sie wieder zu Atem kamen, hielt er sie eine Armlänge von sich ab und fragte heiser: »Ich verstehe dich jetzt. Aber glaub' mir, wir werden entkommen und zusammen glücklich werden, für immer!«

Sie nickte und suchte nach Worten, aber da ertönte ein Klicken, ein Schlüssel wurde im Schloß gedreht. Einen Augenblick weiteten sich ihre Augen angstvoll, aber als er ihre Hand fester packte, wurde sie wieder ruhig und wachsam.

Die Tür ging auf, Mason stand lässig da und fragte erstaunt: »Ah, beide wach und guter Dinge?« Ein Lächeln umspielte seinen schmallippigen Mund.

Vivian glaubte, hinter seiner Maske betonter Gleichgültigkeit eine starke Anspannung oder sogar Besorgnis zu spüren. Als ob der nächste Schritt seines Plans, der Show-down, kurz bevorstünde. Und er sah auch, daß Masons rechte Hand auf der Waffe in seiner Jackentasche lag.

»Ich habe euch beide lange warten lassen«, fuhr Mason scheinheilig fort, »aber ich mußte erst ein paar Kleinigkeiten klären.« Er warf Karen einen schnellen Blick zu. »Wirklich schade um Ihren Onkel, aber er hätte eben etwas mehr Verständnis aufbringen und mit uns kooperieren sollen.«

Ihre Stimme blieb kühl und fest. »Ich glaube, er durchschaute Ihre Absichten nur zu gut.«

»Tja, das ist nun alles vorbei. Es steht zuviel auf dem Spiel, als daß ich Ihre Einmischung dulden könnte.«

»Sie sind jetzt ein noch größeres Schwein als damals in Deutschland«, stellte Vivian kalt fest.

Masons Wangen röteten sich. »Also darüber wissen Sie auch Bescheid?« Bedauernd schüttelte er den Kopf. »Jetzt gibt es für Sie wirklich keine Hoffnung mehr. Das verstehen Sie doch?«

Cooper kam herein und klopfte sich die Nässe vom Jackett. »Der Wagen steht bereit, Boss. Aber es schüttet wie aus Kannen.«

Irritiert wandte Mason den Kopf, und im selben Moment sprang Vivian vor. Seine aufgestaute Wut ließ ihn förmlich explodieren. Mason stieß einen halberstickten Schrei aus und versuchte, die Waffe aus der Tasche zu ziehen, aber als Metall bläulich in seiner Hand glitzerte, hatte ihn Vivian schon erreicht und umklammerte seinen Hals. Mit einer kurzen Drehung schleuderte er den zuckenden Körper gegen Cooper, der unter dem Anprall zu Boden stürzte. Mason rollte sich weg und krächzte: »Schnell, Morrie, du Narr!«

Aus dem Augenwinkel sah Vivian, wie Morrie auf ihn zustapfte, das Gesicht eine unbewegte Maske. Er mußte außerhalb seiner Reichweite bleiben, sonst war alles aus. Als sich Cooper fluchend aufzurichten begann, trat Vivian mit aller Kraft zu. Tiefe Befriedigung durchrieselte ihn, als er Cooper mit blutigem Mund auf den Rücken stürzen sah. Dann war Morrie heran, seine riesigen Hände suchten ihn. Vivian tauchte seitlich weg und landete einen Schwinger an dem kantigen Kinn. Der Schock machte seinen Arm fast taub, aber obwohl Morrie vor Schmerz grunzte, marschierte er weiter vorwärts.

Eine Klaue packte sein Hemd und riß es ihm von der Schulter. Er wich zurück, aber da traf ihn ein schwerer Schlag am Kopf. Bevor er reagieren konnte, hatte ihn Morrie schon mit beiden Armen umklammert und drückte ihn nach hinten, um ihm das Rückgrat zu brechen. Verzweifelt kämpfte er um Luft, rote Ränder tanzten vor seinen Augen. Seine Arme waren nutzlos an den Körper geklemmt. Noch einmal sah er Karens ängstliches Gesicht hinter Morries Schulter, dann war es verschwunden, denn der Riese drehte sich, um den Druck noch zu verstärken. Vivian spürte, daß sein Widerstand nachließ. Da riß er ein Knie hoch und stieß es in Morries den Unterleib.

Sofort löste sich die Umklammerung. Vivian taumelte zurück und rang krampfhaft nach Luft. Morrie rollte gekrümmt am Boden und stieß kleine spitze Schreie aus.

Ein gellender Ruf durchdrang Vivians Benommenheit: »Halt! Keine Bewegung, oder . . .« Mason vollendete den Satz nicht, aber Vivian sah sofort, daß er geschlagen war.

Mason stand hinter Karen und hatte ihr einen Arm auf den Rücken gedreht, so daß sich ihr Körper wie ein Bogen vorwölbte. Ihr Mund war schmerzverzerrt, ihre schreckgeweiteten Augen schielten nach dem Rasiermesser, das Mason an ihre Wange setzte. Die scharfe Klinge konnte jeden Moment die weiche Haut zerschneiden, denn Masons Hand zitterte.

Vivian ließ die Fäuste sinken. »Schon gut, Mason, Sie haben gewonnen. Aber lassen Sie Karen los!«

Er sah die Erleichterung in Masons schmalen Augen. Cooper rappelte sich auf, wischte sich mit einem Taschentuch das Blut vom Kinn und betastete sein Zähne.

»Hier, nimm sie!« knurrte Mason und stieß Karen zu ihm hin. Er hielt nun wieder die Kanone in der Hand. Aus seinem Gesicht schwand die Angst und machte einer grausamen Gelassenheit Platz.

»Tut mir leid, Philip.« Karens Stimme zitterte. »Ich konnte nicht . . .« Ihre Worte endeten in einem Schrei, als ihr Cooper zweimal ins Gesicht schlug; rote Flecken blieben zurück. Mit einer schnellen Bewegung packte er ihr Haar und zog daran ihren Kopf nach hinten.

»Stehenbleiben!« bellte Mason, als Vivian sich von der Wand abstieß. »Ich schieße!« Seine kalten Augen ließen keinen Zweifel daran, daß er es ernst meinte.

Cooper grinste abstoßend. »Wie finden Sie das, Skipper?« Er streichelte mit der freien Hand Hals und Brüste des Mädchens und drückte dann zu. Sie trat vor Angst und Schmerz wild um sich. Aber ein Schlurfen, das von einem schmerzlichen Zischen begleitet wurde, lenkte Cooper ab. Morrie kam stöhnend auf die Füße, in seinen roten Augen loderte ein Feuer. Schwankend hielt er sich den Unterleib.

»Hände nach hinten, Vivian!« Masons Pistole blieb fest auf ihr Ziel gerichtet.

»Dieses Schwein soll die Pfoten von ihr nehmen!« knirschte Vivian.

»Cooper, halt sie fest, aber laß sie in Ruhe!« Das war ein Befehl, und Coopers Gesicht verzog sich enttäuscht.

Mit vor Hoffnungslosigkeit schweren Gliedern stand Vivian da. Seine Augen suchten die Karens, um ihr zu sagen, daß er alles versucht, aber versagt hatte. Er spürte, wie seine Hände nach hinten gerissen und gefesselt wurden. Die Leine war so stramm, daß seine Finger gefühllos wurden. Morrie wirbelte ihn herum, sein Atem schlug Vivian heiß ins Gesicht. Mit einer schnellen Bewegung riß er ihm das Hemd ganz herunter und trat dann zurück, um auszuholen.

»Ruhig, Morrie!« befahl Mason barsch. »Er wird nicht lädiert. Ich will nicht, daß ihr Hitzköpfe jetzt noch alles versaut.«

Ein Schatten der Enttäuschung glitt über Morries Gesicht, dann wurden seine Augen trotzig. Tief einatmend holte er mit der Faust aus, und Vivians Bauchmuskeln spannten sich in Erwartung des Schlages. Als er kam, brannte er wie glühender Stahl auf seiner ungeschützten Haut. Wieder tanzten Lichter vor seinen Augen, in seinen Ohren brauste es. Cooper lachte, als Morries nächster Schlag Vivian unter dem Herzen traf. Der hörte sich selber vor Schmerz brüllen, aber die Stimme schien nicht mehr ihm zu gehören. Er fiel und rollte in einem großen Feuerball der Qual über die Dielen.

Dann sah er zwei riesige Füße vor seinem Gesicht, von denen einer ausholte. Wie von weit her hörte er Karen aufschreien, dann traf ihn der Stiefel hinter dem Ohr.

Die alles verschlingende Dunkelheit war fast eine Gnade. Er fiel ins Nichts.

Die großen schwarzen Wellen brüllten auf in wütendem Widerstreit, jede versuchte, seinen Körper tiefer unter Wasser zu ziehen. Sie zerrten und rissen an seinen bleischweren Gliedern, bis seine Lunge zu explodieren und sein Herz zu platzen drohte. Er unternahm einen letzten verzweifelten Versuch, an die Oberfläche zu kommen.

Undeutlich spürte er eine sanfte Bewegung auf seiner Haut, die das verzehrende Feuer linderte. Es war lebenswichtig, daß dieses Streicheln weiterging. Sein Unterbewußtsein zitterte vor Angst, daß es plötzlich aufhören könnte, denn dann würde er wieder in die feurigen Klauen des Schmerzes stürzen.

Mühsam öffnete er die Augen, sah aber nur Nebelschwaden. Dann schien sich daraus ein Muster zu ergeben, das sich um einen weißen Schemen konzentrierte. Diese Erscheinung schwebte über ihm wie ein weit entfernter, unberührbarer Mond.

Er bemühte sich, die gequollenen Lippen zu bewegen, aber seine Zunge gehorchte ihm nicht. Sofort näherte sich der weiße Schemen, und er empfand ein merkwürdiges Gefühl von Freude. Bevor er wieder in das schwarze Meer des Deliriums hinabstürzte, sah er blaue Augen und fühlte weiche Hände, die seinen Körper sanft massierten. Aber er war noch zu benommen, um auch die Tränen auf seiner fiebrigen Haut zu spüren.

Einige Augenblicke konnte er nur nach Luft schnappen und schmeckte dabei saures Erbrochenes im Mund. Zwei kleine Hände hielten ihn fest, als ihn ein erneuter Krampf schüttelte.

Er stellte fest, daß er nicht mehr gefesselt war, und versuchte, sich aufzurichten. Aber er fiel mit einem Stöhnen zurück und japste wieder nach Luft. Vorsichtig betastete er dann den Knochen hinter seinem linken Ohr, wo ihn Morries Stiefel getroffen hatte.

»Oh, Philip, was haben sie mit dir gemacht!« Karen beobachtete ihn ängstlich, während sie seinen Kopf in ihren Schoß bettete.

Er grinste schief. »In ein bis zwei Sekunden bin ich wieder ganz in Ordnung.« Wieder fuhr ihm ein feuriger Stich durch die Rippen. »Wie lange war ich weggetreten?«

Sie schüttelte den Kopf. »Ich weiß nicht. Es kam mir wie eine Ewigkeit vor. Sie haben uns allein gelassen.«

Ihre Hände ruhten auf seiner Brust, sie faszinierten ihn. Trotz seiner Schmerzen befriedigte es ihn, sie beobachten zu können. Dann kam wie beim Erwachen aus der Narkose die Erinnerung zurück. Ein Strom von Bildern floß an ihm vorbei, und er fühlte, daß ihm der Schweiß ausbrach. Mit zusammengebissenen Zähnen richtete er sich auf.

»Karen, wie geht es dir? Hat er dich wieder belästigt?« Voll Sorge suchte sein Blick ihr Gesicht.

Sie lächelte ihn an. »Nein, er war zu beschäftigt.«

Vivian packte ihren Arm. »Es war die Hölle für dich, und ich habe es zugelassen.«

»Immer sorgen wir uns um den anderen. Philip, hör auf, dir Vorwürfe zu machen. Es sind eben Verbrecher, an die wir da geraten sind.«

»Du hast recht.« Er lauschte. »Ich muß Mason sprechen, ihm sagen, daß ich die Hälfte der Platten noch habe.«

Ihre Augen weiteten sich. »Die Hälfte der Platten? Wolltest du ein Geschäft mit diesem wilden Tier machen?«

Er nickte. »Es war meine einzige Chance.«

Sie schlug die Augen nieder. »Ich fürchte, er ist weg.«

»Weg? Wieso?«

»Er fuhr mit dem Wagen fort, nachdem sie uns wieder hier eingesperrt hatten.«

Er schüttelte den Kopf. »Mir kommt das alles vor wie der Alptraum eines Verrückten. Warum hast du eigentlich das Boot verlassen, Karen? Wer hat dich geholt?«

»Morrie. Er sagte, du bräuchtest meine Hilfe. Ich war so durcheinander, daß ich ihm einfach folgte.« Sie erzitterte. »Als wir um die Ecke eines großen Schuppens bogen, wurde mir etwas über den Kopf geworfen. Dann wurde ich in einen Wagen gezogen und zu Boden gedrückt, bis wir hier ankamen. Den Rest kennst du.«

»Wenn wir nur . . .« Er hielt inne und lauschte. »Da kommt jemand!« Taumelnd sprang er auf und starrte zur Tür. Sein Körper schmerzte an hundert Stellen, aber sein Kopf arbeitete wieder. Auch Karen erhob sich und stellte sich hinter ihn.

Die Tür wurde vorsichtig geöffnet, Cooper blickte herein. Er blieb in sicherer Entfernung, hielt aber die Pistole auf sie gerichtet.

»Na, wieder auf den Beinen?« Als er hämisch grinste, konnte Vivian einige Zahnlücken in seinem Unterkiefer sehen. »Wie schön, denn jetzt seid ihr am Ende eures gemeinsamen Weges angelangt.« Er hatte sich verändert, strahlte nun eine Härte aus, die Vivian auf der Hut sein ließ.

»Ach ja? Was plant der Kleine denn jetzt?« fragte Vivian kühl.

Einen Moment flackerte Wut in den tiefliegenden Augen auf, aber Cooper hatte sich schnell wieder in der Gewalt. »Nun«, meinte er gedehnt, »es kann wohl nichts schaden, wenn ich's euch verrate.« Er warf Karen einen Blick zu. »Wir haben Ihren Wagen draußen. Sie beide werden darin einen Ausflug machen. Aber es wird nur eine kurze Fahrt, vermute ich.« Er kicherte.

Ein Schatten fiel auf Cooper, und Morries Gesicht, noch immer grau vor Schmerzen, erschien über seiner Schulter. »Boss hat gesagt, keine Gespräche. Er . . .«

»Ich scheiß drauf, was er gesagt hat! Er ist nicht da, also bin *ich* der Boss – *verstanden*?« brüllte Cooper.

Morrie schien zu schrumpfen, dienstfertig nickte er.

Cooper wandte sich wieder den anderen zu, Triumph leuchtete aus seinem Gesicht. »Ihr habt doch die tiefen Kiesgruben hier gesehen? In einer wird euer Auto gefunden werden, mit zwei toten Insassen darin.«

Vivian lief es eiskalt über den Rücken, und er hörte, daß Karen hinter ihm einen kleinen Schrei ausstieß.

Cooper erwärmte sich am Erfolg seiner Geschichte. »Es wird so aussehen, als ob die alte Brücke das Gewicht des Wagens nicht ausgehalten hätte.«

»Sie sind verrückt!« rief Vivain. »Wie wollen Sie das der Polizei erklären?«

»Oh, ich vergaß zu erwähnen, daß Ihre Freundin gefesselt auf dem Rücksitz liegen wird. Die Polizei wird denken, daß Sie sie entführt haben und auf dem Weg in ein Versteck waren, als . . .« Er schnippte mit den Fingern. »Plötzlich gab die Brücke nach. Hübsch, nicht wahr?«

»Warum sollte ich ein Mädchen entführen, von dem jeder weiß, daß es bei mir an Bord war? Das klappt nicht, Cooper, Sie müssen sich schon was Besseres ausdenken.«

»Aber nein, dafür gibt es einen guten Grund. Schließlich haben Sie ihren Onkel umgebracht, oder?«

»Niemand wird Ihnen glauben!« Aber noch während er sprach, wußte er, daß Cooper recht hatte. Man würde Jensens Leiche finden, dann würde die Spurensicherung auf ihn stoßen. Dann würde man

Karen vermissen – und ihn. Es konnte Jahre dauern, bis man das Auto mit ihren Leichen darin fand. Sein Kopf drehte sich. Nur Felix wußte, daß er den Mord nicht begangen hatte, aber der würde sich bedeckt halten.

»Soll ich etwa das Auto selbst zum Baggersee fahren?«

Cooper ließ sich nicht beirren. »Sie werden am Steuer sitzen, aber ich könnte mir vorstellen, daß wir Sie vorher etwas schläfrig machen. Und ich werde diese kleine Nutte vernaschen.« Die Pistolenmündung zeigte jetzt auf Karen.

»Cooper, es gibt etwas, das Sie noch nicht wissen.«

»Tatsächlich?« Das klang desinteressiert.

»Ich habe euch nur die Hälfte der Platten gebracht, weil ich schon vermutete, daß hier mit gezinkten Karten gespielt wird. Sie sollten besser Ihrem Boss Bescheid sagen, und zwar schnell.«

»Netter Versuch. Lassen Sie sich was Besseres einfallen.«

»Hat vielleicht jemand von euch die Platten schon auf ihre Vollständigkeit untersucht? Nein? Der schlaue Mr. Mason hat sich wohl nur die oberen angesehen, oder?« Er wartete, denn er sah jetzt Unsicherheit auf Coopers Frettchengesicht.

»Vorausgesetzt, ich glaube Ihnen: Wo sind dann die anderen Platten?«

»Beim Hafenmeister zur Aufbewahrung«, log Vivian. »Natürlich als harmloses Päckchen.« Er war überrascht, wie präzise sein Hirn arbeitete.

Cooper schien die Geschichte zu schlucken, ungeduldig winkte er Morrie heran. »Komm her, Dummkopf, binde sie zusammen. Ich gehe telefonieren. Mal hören, was der Boss dazu sagt.«

Morrie kam in den Raum gestapft, und Vivian biß sich vor Schmerz auf die Lippen, als seine Arme nach hinten gezogen wurden. Als die Leine tief in seine Handgelenke schnitt, grunzte Morrie zufrieden und wandte sich dem Mädchen zu. Während er auch ihre Arme nach hinten zog, pfiff Cooper bewundernd.

»Donnerwetter, was für ein Busen! Wir werden uns prächtig amüsieren, Morrie, wenn ich zurückkomme. Behalt sie gut im Auge, das dauert höchstens eine halbe Stunde.«

»Warum nimmst du nicht ihr Auto?« Der kurze Satz schien Morrie fast zu überfordern.

Cooper sah ihn mitleidig an. »Und wenn man mich darin sieht, Dummkopf? Der Seemann da hat es doch angeblich geklaut, als er sie entführte, oder?« Er hob den Kopf und lauschte auf das Trommeln des Regens. »Aber ich werde dabei bestimmt naß bis auf die Knochen, verdammt!« Gereizt eilte er hinaus und schlug die Tür zu.

Morrie deutete auf die Pritsche. »Setzen!« kommandierte er, und nachdem Karen gehorcht hatte, wandte er sich an Vivian. »Und Sie können knien!« brummte er und stieß ihm die Faust in den Magen. Als Vivian am Boden lag, traf ihn noch ein Fußtritt, daß er stöhnte.

Morrie erlaubte sich ein kurzes Lächeln. »Das hast du davon«, murmelte er und stampfte hinaus, vergaß aber nicht, die Tür hinter sich abzusperren.

»Philip, wie geht's dir?« Karens Stimme klang ängstlich.

Er nickte nur, konnte noch nicht sprechen. Er fühlte, daß sein Bein blutete, denn der Brieföffner, den er sich in die Socke geschoben und in den letzten alptraumhaften Stunden völlig vergessen hatte, hatte ihn beim Sturz verletzt. Erstaunlicherweise fühlte er keinen Schmerz, als er ihn mit seinen gefesselten, tauben Fingern zu erreichen versuchte. In seinem Kopf entwickelte sich ein verzweifelter Plan.

8

Langsam und unter großen Schmerzen bog sich Vivian nach hinten und verfluchte dabei die Krämpfe in seinen Fingern. Aber schließlich fühlte er das glatte runde Metall des Messergriffs. Es war eine Art Wettlauf. Er mußte seine Fesseln mit der scharfen Klinge durchschnitten haben, bevor seine Hände völlig gefühllos wurden. Aber dann kam ihm Karen zu Hilfe. Vor und zurück, auf und ab sägte sie mit ganzer Kraft, bis ein leiser Knall ertönte und der Brieföffner zu Boden klapperte. Einen Augenblick erstarrten beide lauschend. Als er dann vorsichtig ein zerschundenes Handgelenk aus der Fessel zog, grunzte er triumphierend. Seine Hände waren frei.

Tausend heiße Nadeln stachen in seine Arme, während er sie heftig massierte. Schließlich wischte er sich den Schweiß von der Stirn und lächelte Karen zufrieden an, während er auch ihre Fessel löste. Seine Erregung stieg.

Steif ließ er sich neben ihr nieder. »Hör zu, Karen«, sagte er, »du bleibst hier sitzen und hältst die Hände auf den Rücken. Sobald Morrie hereinkommt, greife ich ihn mir.« Er studierte ihr Gesicht, prägte sich jede Einzelheit ein. »Was auch passiert und was ich auch tue – du *mußt* flüchten!« Er betonte jedes Wort, als er wachsenden Protest in ihrem Gesicht sah. »Sobald du draußen bist, springst du in dein Auto und fährst über die Brücke, als ob sämtliche Teufel der Hölle hinter dir her wären.«

»Aber Philip, ich lasse dich nicht . . .« Ihr Mund zitterte.

»Du mußt! Das Auto ist ein Glücksfall, den müssen wir nutzen.« Seine Stimme wurde härter. »Sobald ich hier fertig bin, komme ich nach.« Er machte eine Pause und atmete tief durch, die Aussicht auf den Kampf beschleunigte seinen Pulsschlag. »Du mußt tun, was ich sage. Hast du verstanden?«

Sie neigte den Kopf. »Ich will's versuchen«, antwortete sie ausdruckslos.

Er lächelte. »Na gut, dann gehe ich jetzt in Position.«

Er bückte sich und küßte sie auf die Stirn, aber als sie die Arme nach ihm ausstreckte, wandte er sich schnell ab, weil er wußte, daß er sonst verloren gewesen wäre. Er nahm das Briefmesser auf und hockte sich wie gefesselt hin, die Hände versteckt auf dem Rücken.

Er starrte das dunkle Rechteck der Tür an, bis seine Augen schmerzten. Seine Phantasie gaukelte ihm vor, daß sie sich langsam öffnete oder daß sich ein Schatten dahinter bewegte. Wie auf ein Signal hörte der Regen auf. Bis auf das Fallen vereinzelter Tropfen herrschte nun Stille, die sein heftiger Herzschlag zu füllen schien. Jeder Muskel in seinem zerschlagenen Körper war aufs äußerste gespannt.

Als Morrie schließlich eintrat, geschah das so unerwartet, als ob er darauf gewartet hätte, daß Vivians Wachsamkeit nachließ. Plötzlich stand er im Türrahmen, sein Umriß zeichnete sich vor dem schwachen Licht dahinter ab, das Gesicht lag im Dunkeln. Er musterte sie unbewegt, aber Vivian konnte seinen Haß förmlich spüren.

Vivians schweißüberströmter Körper schien ihn anzuziehen. Er trat ein paar Schritte vor, um ihn erneut zu schlagen, und verdeckte jetzt völlig das Licht, das durch die Tür fiel. Er kam so nahe heran, daß Vivian die dicken Venen auf seinen Handrücken sah.

Vivians Herz pochte, er wußte, das war ihre einzige Chance.

Morries Lippen bewegten sich lautlos, dabei starrte er ihn mit einer unheimlichen Intensität an.

»Die anderen sagen, daß ich dich nicht anrühren darf, aber jetzt bin ich hier der Boss! Ich werde dich so zurichten, daß dich die eigene Mutter nicht wiedererkennt!« Er schwieg, seine Brust hob und senkte sich.

»Mein Gott, Morrie, das war aber ein verdammt langer Satz«, erwiderte Vivian leise. »Cooper muß dir Sprachunterricht gegeben haben.«

Das war, wie vorausgesehen, der Auslöser. Morrie verlor den letzten Rest Vernunft. Mit einem kehligen Knurren sprang er Vivian an und packte seinen Hals. Die starken Daumen fanden seine Luftröhre, mit gespreizten Beinen stand er über Vivian.

»Du hast mir weh getan, jetzt tue ich dir weh!«

Vivian fühlte, daß sich der Griff langsam verstärkte, Speichelbläschen quollen aus dem Mund des Monsters über ihm. Seine beiden Fäuste schossen hinter dem Rücken hervor, auf dem Weg nach oben in den ungeschützten Unterleib seines Gegners vereinigten sie sich zu einem Keil, der einschlug wie die Axt eines Holzfällers in einen Baum.

Morries Überraschungsschrei ging in ein hohes dünnes Winseln über. Er verdrehte die Augen, bis nur noch das Weiße zu sehen war, und stürzte zu Boden. Bevor er sich erholen konnte, ballte Vivian die Fäuste und schlug wieder und wieder auf den sich windenden Körper ein.

»Karen, schnell, lauf weg!«

Vivians Ruf wurde von einem Faustschlag Morries unterbrochen, der ihn seitlich hinterm Ohr traf, genau auf der alten Verletzung. Bevor er wieder klar denken konnte, war Morrie über ihm und preßte alle Luft aus seinen Lungen. Er hatte seinen sauren, tierischen Geruch in der Nase und den stinkenden Atem. Seine Pranken kämpften Vivians Widerstand nieder, der Schmerz schien seine Kräfte zu verdoppeln.

Vivian trat wild um sich, und als sich Morries Griff um seinen Hals lockerte, rief er: »Lauf, Karen!« Er sah ihre schlanken Beine vorbeirennen, nur Zentimeter von den Kämpfenden entfernt. Sie rief seinen Namen.

Der Griff um seinen Hals ließ plötzlich ganz nach, und Morries rote Augen weiteten sich vor Überraschung, als er etwas hinter Vivians Schulter entdeckte. Seine rechte Hand fuhr nach oben, und Vivian sah zu seinem Entsetzen, daß sie jetzt das Papiermesser hielt. Er mußte es Karen entrissen haben. Vivian versuchte, die glitzernde Klinge wegzudrücken, aber Morries Handgelenk fühlte sich wie eine Eisenstange an. Die Klinge kam näher, die Spitze zitterte nur wenige Zentimeter von seiner Halsschlagader entfernt.

Vivian schloß fest die Augen, er spürte, daß seine Kraft zu Ende ging. Morries stinkender Atem keuchte triumphierend in sein Gesicht, der riesige Körper nagelte ihn an den Boden. Er fühlte die kalte Schneide an seiner Haut. Das war es dann wohl. Hoffentlich war Karen in Sicherheit. Mochte sie immer in Sicherheit sein . . .

Die Muskeln des anderen spannten sich, Vivian wußte, daß der jetzt alle Kraft zum entscheidenden Stoß zusammennahm. Da versuchte er es mit einem letzten verzweifelten Trick. Plötzlich gab er jeden Widerstand auf, erschlaffte und drehte gleichzeitig den Kopf zur Seite. Die Schneide zischte an seinem Hals vorbei und bohrte sich bis zum Heft in den Boden.

Blitzschnell machte sich Vivian frei von dem sabbernden, verwirrten Verrückten, und als er schwankend über ihm stand, hieb er ihm einen Karateschlag in den feisten Nacken. Halb blind sprang er dann über den Hingestreckten, ergriff sein Jacke und rannte hinaus. Sein Atem kam in kurzen, qualvollen Stößen.

Als er die Treppe vor der Hütte mehr hinunterfiel als lief, war er für einen Moment geblendet, doch dann sah er das Auto. Es stand bereits der rohen Balkenbrücke zugewandt. Karen kam herbeigerannt, in ihren Augen die nackte Angst.

»Steig ein!« keuchte er. »Wir müssen sofort verschwinden!«

Sie schüttelte den Kopf. »Kein Zündschlüssel!« Das war ein harter Schlag. »Ich kann ihn nicht starten!«

Hinter sich hörte er Gepolter in der Hütte: Morrie. Er hatte noch immer die Pistole. Alarmglocken schrillten in Vivians Kopf.

»Dann müssen wir rennen!«

Hand in Hand liefen sie über die Brücke. Vivian merkte, daß Karen ihn zog, er torkelte wie betrunken über die glitschigen Planken. Er konnte sich nicht erinnern, daß die Brücke so lang gewesen war. Noch zehn Meter. Die nassen, vom Regen glänzenden Bäume und die hohen Erdwälle schienen ihn zu narren.

Bumm! Der Knall des Schusses wurde als mehrfaches Echo zurückgeworfen. Karen zögerte, aber jetzt zog er sie vorwärts.

»Schau dich nicht um!« stieß er hervor. »Wir müssen weiter!«

Seine Worte wurden vom Aufheulen eines Motors übertönt. Während er begriff, daß Morrie den Autoschlüssel in der Tasche gehabt haben mußte, fühlte er die Brücke erzittern. Die durchdrehenden Reifen fanden schließlich Halt, das Auto schoß vorwärts.

Er zog Karen an sich und warf sich auf die Böschung. Plötzlich gab die Brücke hinter ihnen mit einem ohrenbetäubenden Krachen nach. Der ganze Mittelteil brach ein und schwankte wie betrunken zur Seite.

Vivian stand wie angenagelt, drückte nur Karens Gesicht an seine Brust, damit sie die grausige Szene nicht sehen mußte. Zusammen mit dem verrotteten Holz stürzte der rot glänzende Wagen ins Wasser und prallte klatschend auf. Morries weißes Gesicht starrte zu ihnen empor, sein Mund stand offen wie in einem lautlosen Schrei. Dann versank er, und nur das Heck des Autos war noch zu sehen. Nach ein paar Sekunden verschwand auch dieses mit einem Gurgeln im lehmgelben Wasser.

Eine Minute verging, die Wasseroberfläche beruhigte sich wieder. Nur zersplittertes Holz trieb darauf. Vivian streichelte Karens Rücken.

»Es ist vorbei«, sagte er langsam. »Morrie hat einen unverdient schnellen Tod gefunden.«

Das Mädchen schluchzte ungehemmt, auch Vivian fühlte ein Zittern in seinem Inneren: die Reaktion auf Anspannung und Schock. Hand in Hand liefen sie einen Pfad zwischen den Hügeln hinauf, bis sie die Straße erreichten. Sie krochen in den Schutz einer Baumgruppe, während Vivian nach Cooper ausspähte.

»Nichts«, sagte er. »Diese verdammte Telefonzelle muß weiter entfernt sein, als ich dachte.«

Sie fuhr sich mit der Hand durchs Haar. Einen Augenblick war er ganz von ihrem Anblick gefangen, Schwäche und Angst fielen von ihm ab. Sie sah, daß er sie betrachtete, und schlug die Augen nieder.

»Entschuldige.« Er grinste tölpelhaft. »Ich hab' mich noch nicht daran gewöhnt, dir so nahe zu sein, verstehst du? Jedesmal, wenn ich dich ansehe, muß ich staunen.«

»Wir müssen entscheiden, was als nächstes zu tun ist, Philip.«

Vivian nahm ihren Arm, zusammen liefen sie über den nassen Asphalt. »Wie ich es sehe«, begann er, »sollte ich so schnell wie möglich zur Polizei gehen. Irgendeinen Bären werde ich ihnen schon aufbinden.«

»Ob Felix schon bei der Polizei war?«

»Vielleicht«, antwortete er nachdenklich. »In diesem Fall wäre es gut, meine Geschichte so schnell wie möglich loszuwerden. Mit einigem Glück kann ich die Rolle deines Onkels bei der Sache verschweigen, schließlich sind sie in erster Linie an Masons Drogenschmuggel interessiert.«

Sie hatten jetzt die Kreuzung mit der Küstenstraße erreicht. Sie lag ziemlich verlassen da, nur vereinzelt brauste ein Auto vorüber.

»Die Polizei muß auch über das Falschgeld informiert werden.« Karens Stimme war ruhig, aber fest. »Das findet sie ohnehin heraus, und ich will nicht, daß du mehr belastet wirst als notwendig. Außerdem bin ich auch noch da.« Sie erstickte seinen Protest mit einem Kuß. »Keinen Widerspruch, Philip. Jeder weiß, daß ich nicht in Onkel Nils' Geschäfte verwickelt war, deshalb bin ich die einzige Person, die dir helfen kann. Richtig?« Ihre Augen blitzten in der Sonne.

»Aber es gefällt mir nicht«, beharrte er. »Du sollst nicht vor Gericht gezerrt werden!«

»Es ist der einzig mögliche Weg. Bitte sag', daß du's einsiehst!« Ihre Stimme klang so flehend, daß er nachgab.

»Dann sollte ich aber besser die restlichen Platten von Bord holen, damit ich etwas vorweisen kann.«

Sie drückte seine Hand. »Du wirst sehen, alles wird gut. Es war eine tolle Idee von dir, diese schrecklichen Platten zurückzuhalten.«

»Es ist nicht zu fassen: Vor wenigen Wochen hat keiner von uns von derartigen Dingen gewußt, aber jetzt reden wir völlig gelassen über Druckplatten für Falschgeld und Drogenschmuggel. Als ob wir unser Leben lang nichts anderes gemacht hätten.«

»Wie auch immer, wir müssen da durch!«

Er blieb stehen und deutete auf das Schild einer Bushaltestelle. »Die Zivilisation hat uns wieder! Hast du noch Geld? Ich habe meins anscheinend da hinten verloren.«

Sie fand etwas Kleingeld in ihrer Jackentasche. Während sie auf den Bus warteten, besprachen sie ihren Plan, versuchten dabei, keine Einzelheit zu übersehen.

Ein von langer Fahrt verschmutzter Bus hielt knirschend vor ihnen. Unter den neugierigen Blicken der Fahrgäste kletterten sie auf das leere Oberdeck. Der Bus holperte über die windgepeitschte Straße Richtung Ramsgate.

Plötzlich runzelte Vivian die Stirn. »Ich habe nachgedacht, Karen«, begann er. »Es ist vielleicht unklug, wenn wir beide gleichzeitig in die Polizeiwache stürmen. Du solltest zuerst an Bord gehen, die Platten holen und Felix und dann später mit ihm nachkommen.«

»Aber Philip«, protestierte sie, »ich muß doch bei dir bleiben!«

Er drückte ihre Hand. »Glaub mir, es ist besser, wenn wir getrennt vorgehen. Schließlich ist es nicht ausgeschlossen, daß sie mich festse⁺zen. Dann brauche ich draußen alle meine Freunde.«

Sie klappte den Kragen ihrer Jacke hoch und gab ihm ihren Schal, den er sich um den Hals schlang. »So sieht niemand, daß du kein Hemd hast.« Aber zu seinem Vorschlag äußerte sie sich nicht.

»Wir sind gleich da. Jetzt versprich mir, daß du vorsichtig bist«, drängte er.

Sie nickte. »Bei mir gibt es keine Probleme. Du bist es, der vorsichtig sein muß.«

Der Bus wurde langsamer, unter ihnen lag der Hafen wie ein riesiges weißes Hufeisen.

»Ich beeile mich, Philip«, flüsterte sie. Ihre Lippen huschten über seine Wange, dann war sie verschwunden.

Der Bus holperte weiter und füllte sich mit schwatzenden Urlaubern, aber Vivian starrte blicklos durch die Scheibe, bis sie in der Innenstadt hielten. Ohne Schwierigkeiten fand er den dunklen Ziegelsteinbau mit der großen blauen Lampe an der Frontseite. Zweimal schlenderte er daran vorbei, abgeschreckt von dem großen, behelmten Polizisten, der gelangweilt am Eingang Wache schob.

Dann schluckte er und ballte entschlossen die Fäuste in den Taschen. Dabei trafen seine Finger auf einen kleinen, harten Gegenstand: eine Six-Pence-Münze, die sich in der Naht verklemmt haben mußte. Er blickte sich um und entdeckte ein kleines Café gegenüber der Polizeiwache. Eine Tasse Tee, das war es, was ihm fehlte.

Er setzte sich an einen Marmortisch am Fenster und beobachtete den Polizisten auf der anderen Straßenseite. Bald würde es vorbei sein, dachte er, so oder so.

Ein fetter, fröhlicher Tourist hievte sich vom Nebentisch hoch, wo er zwei vorlaute Kinder mit Kuchen und Eis gefüttert hatte. Er reichte Vivian, der mit grimmigem Gesicht dasaß, die Nachmittagszeitung.

»Hier, mein Freund. Werfen Sie einen Blick hinein, das wird Sie aufmuntern.«

Vivian dankte und sah zu, wie er seine Kinder aus dem Café trieb. Es wurde Zeit, die Gentlemen auf der anderen Straßenseite zu besuchen, dachte er und trank seinen Tee aus. Beim Aufstehen fiel sein Blick zufällig auf die Frontseite der Zeitung. Das Café begann sich um ihn zu drehen, er mußte sich am Tisch festhalten. In seinem Kopf hämmerte es.

Nach einem besorgten Blick in die Runde setzte er sich wieder und zwang sein Gehirn, den Text zu verarbeiten.

MORD IN HAMPTON COURT, las er, und weiter: »Wie wir erfahren haben, wurde die Polizei heute am frühen Morgen zu dem am Fluß gelegenen alten Haus von Mr. Nils Jensen gerufen. Mr. Jensen war Direktor der bekannten Europa Travel Agency. Im Haus fand die Polizei seine schlimm zugerichtete Leiche in einem Keller, der als Studio benutzt wurde. Es gab Anzeichen für einen heftigen Kampf, außerdem Spuren für einen Einbruch. Karen Jensen, die Nichte des Toten, wird vermißt. Man vermutet, daß sie vom Mörder entführt wurde, weil sie ihn erkannt hat. Die Polizei rechnet mit einer baldigen Festnahme, kann aber über das Mordmotiv noch nichts sagen. Chief Inspector Laidlaw, bekannt geworden durch die Aufklärung der Kellermorde in Brighton, leitet die Untersuchung. Er interessiert sich für den Verbleib eines gewissen Philip Vivian, der ihm bei der Aufklärung des Falles helfen könnte.«

Wie betäubt las Vivian den Rest des Artikels, der auch seine Personenbeschreibung und das Foto einer lächelnden Karen enthielt. Er versuchte sich zu erinnern: Die zerbrochene Fenstertür fiel ihm ein, die Scherben hatte er im Schubfach des Schreibtisches versteckt. Seine Fingerabdrücke mußten überall gewesen sein. Er fluchte vor sich hin, als ihm Masons Plan einfiel, ihm Jensens Tod in die Schuhe zu schieben. Er hatte trotz allem funktioniert, bis auf einen Lichtblick: daß Karen und er jetzt nicht im Schlamm des Baggersees lagen. Seine Gedanken liefen im Kreis, er starrte blind auf die Zeitung, vor Wut zitternd wie ein Tier in der Falle.

Ohne es zu merken, sprang er auf die Füße und stürmte mit der Zeitung in der Hand aus dem Café. Einen Augenblick stand er unschlüssig am Rand des Bürgersteigs, dann straffte er die Schultern und marschierte entschlossen über die Straße.

Sein Empfang auf der Polizeiwache war fast eine Enttäuschung. Das Büro war hoch und angenehm kühl, seine Wände waren mit Notizen bedeckt. Ein langer Tresen stand quer im Raum, und in der Mitte saß ein ältlicher Sergeant und schrieb sorgfältig in ein dickes Buch. Am Tresen stand ein junger Constabler und goß Tee in eine ganze Batterie Tassen auf einem zerbeulten Blechtablett.

»Augenblick, Sir, ich gehe gerade einer wichtigen Dienstpflicht nach«, grinste er.

Gott im Himmel! Vivian schwankte und legte die Hände flach auf den Tresen vor sich, um sich zu beruhigen. Er räusperte sich und verkündete: »Ich bin Philip Vivian. Ich habe gelesen, daß man mich in einer Mordsache sucht!«

Es klirrte laut, als die Teekanne hart gegen eine Tasse schlug. Der Constable starrte Vivian nur an und schien unfähig, die Teekanne abzustellen. Der Sergeant legte seinen Stift hin und blickte auf. Überrascht bemerkte Vivian, daß die blauen Augen des Mannes völlig unbewegt blieben.

»Was haben Sie eben gesagt, Sir?« fragte er wie beiläufig. »Mir war, als hätte ich etwas von Mord gehört.«

»Mein Name ist Vivian«, wiederholte er müde. »Es steht alles in dieser Zeitung.« Er klatschte sie auf den Tresen.

Der Sergeant stand auf, sorgfältig knöpfte er seine Uniformjacke zu. Seine Augen studierten Vivians Gesicht. »Verstehe«, meinte er schließlich. »Vielleicht sollten Sie hinter den Tresen kommen.«

Niemand bewegte sich, als Vivian die hölzerne Klappe anhob, den Raum dahinter betrat und ruhig am Tisch stehenblieb. Er war ein paar Zentimeter größer als der Sergeant, trotzdem schien dieser den Raum zu beherrschen. Vivian bemerkte einen dritten Polizisten, der jetzt im Raum stand und den Ausgang blockierte.

»Setzen Sie sich.« Die Stimme des Sergeanten besaß Autorität. »Collins, gießen Sie endlich den Tee ein. Ich glaube, daß wir jetzt alle eine Tasse brauchen.« Er widmete Vivian einen langen prüfenden Blick. »Sie sind der Mann, das stimmt«, sagte er langsam. »Ich rate Ihnen, hier ruhig sitzen zu bleiben, während ich das Nötige veranlasse.« Er drückte einen Knopf auf dem Tisch, und Vivian hörte, wie sich eine Tür hinter ihm öffnete. »Informieren Sie Peters in der Nachrichtenzentrale über, äh«, er warf einen schnellen Blick auf seine Notizen, »über Fahndungsmeldung Nummer sieben. Sagen Sie ihm, daß wir einen Mann hier haben, auf den die Beschreibung paßt. Das Ganze geht an den Chief Constable – mit etwas Beeilung!«

»Jawohl, Sergeant!«

Die Tür schloß sich, und ein paar Sekunden später hörte Vivian einen Fernschreiber rattern. Es war alles so normal, so ruhig . . . Der Sergeant gab durch nichts zu erkennen, daß er es mit einem Mordverdächtigen zu tun hatte. Nach einer Viertelstunde hörte Vivian, daß sich die Tür hinter ihm öffnete. Diesmal kamen zwei Männer in

Zivil herein. Der eine, ein dunkler Typ mit schmalem Gesicht, machte eine Bewegung mit dem Kopf. »Nach oben mit Ihnen!«

Vivian lief rot an. »Nun mal langsam! Was glauben Sie, mit wem Sie reden? Schließlich bin ich freiwillig hier, um alles zu erklären.«

»Schon gut, schon gut, regen Sie sich nur nicht auf. Also kommen Sie jetzt bitte hoch zur Kripo, der Chief Inspector vom Yard muß jeden Moment hier eintreffen. Bis dahin möchte ich schon einige Unklarheiten beseitigt haben.«

Der andere Detektiv, ein dünnes, linkisches Männchen, fügte überflüssigerweise hinzu: »Und keine Tricks!« Müde folgte Vivian ihnen in das CID-Büro. Dem Raum voller Schreibtische, Aktenschränke und Aschenbecher sah man die ständige Benutzung rund um die Uhr an.

»Ich sage erst aus, wenn Chefinspektor Laidlaw hier ist«, verkündete Vivian. »Die Sache betrifft ein Riesending, und ich hatte in den letzten Tagen genug Ärger für mein ganzes Leben!«

Die beiden Detektive tauschten Blicke. »In Ordnung«, meinte der erste, »aber setzen Sie sich wenigstens.«

Vivian begann, sich Sorgen zu machen. Karen hätte schon längst hier sein müssen. Vielleicht war etwas schiefgelaufen? Möglicherweise hatte Felix Lang von der Beschuldigung gehört und besorgte schon einen Rechtsbeistand. Oder er war gar nicht an Bord der *Seafox* gewesen, als Karen dort ankam. Vivian machte sich Vorwürfe, daß er sie allein gelassen hatte.

Die Zeit verging, Tee wurde gebracht und getrunken, ohne daß mit ihm geredet wurde. Vivian wurde immer wütender über die Verzögerung; er wollte brennend gern die Räder in Schwung bringen, damit endlich Mason statt seiner auf die Anklagebank kam.

Endlich schlugen unten Wagentüren zu, Stimmengemurmel flutete die Treppe hoch. Und dann stand Chefinspektor Bruce Laidlaw mit zwei Begleitern im Raum. Er strahlte so viel Energie aus, daß der Raum durch seine schiere Präsenz zu leben begann. Obwohl überdurchschnittlich groß, verliehen ihm seine breiten Schultern, der kurze Hals und ein Bauchansatz den Eindruck von Gedrungenheit. Er nahm einen grünen Filzhut ab und fuhr sich mit den kurzen Fingern durch das graue Haar. Dann blickte er Vivian zum ersten Mal an. Seine Augen waren dunkelbraun und voller Vitalität und Energie. Mit wenigen schnellen Blicken schien er alles Wesentliche zu erfassen und in seinem Gehirn zu speichern.

Vivian wollte aufstehen, aber Laidlaw winkte ab. »Nein, nein, Mr. Vivian, bleiben Sie sitzen. Wir müssen uns in Ruhe unterhalten.« Er hatte eine angenehme Stimme, in der aber eine versteckte Schärfe mitschwang.

Laidlaw nickte den örtlichen Kriminalbeamten zu. »Ich lasse nachher ein offizielles Protokoll aufnehmen. Bis dahin können Sie im Nebenzimmer warten.«

Das war kein Befehl oder eine Bitte, sondern eine sachliche Feststellung und zeigte, wie dieser Mann arbeitete. Vivian begriff, daß er einem wirklichen Profi gegenübersaß, einem Detektiv, der sich auf der Höhe seiner Karriere befand. Er hatte den Fall nun übernommen und würde bei niemandem um Hilfe oder Rat fragen. Gehorsam verließen die beiden Untergebenen den Raum.

Laidlaw nickte flüchtig zu seinen Begleitern hinüber. »Das ist Sergeant Arnold, mein Assistent, und das ist Dr. Mortimer, der mir ebenfalls hilft.«

Er wartete, während Vivian die beiden musterte. Den Sergeant hätte er eher für einen professionellen Sportler gehalten: breite Schultern, schmale Hüften, das schwarze Haar kurz geschnitten. Arnolds kalte Augen und sein schmaler Mund verrieten keinerlei Emotionen. Anders der Doktor. Das war ein freundlicher kleiner Mann in schlecht sitzendem Tweedanzug. Er nickte zu allem, was Laidlaw sagte.

Alle drei zusammen, entschied Vivian, gaben ein höchst merkwürdiges Trio ab.

Arnold ging zu dem Tisch hinter Vivian und zog Notizblock und Bleistift hervor.

»Nun, nachdem wir uns alle hier eingerichtet haben, können Sie mir erzählen, warum Sie Nils Jensen umbrachten«, begann Laidlaw ruhig.

Es war wie ein Schlag ins Gesicht. Vivian mußte sich beherrschen, um nicht endlose Beteuerungen seiner Unschuld auszustoßen. Das war sicherlich Laidlaws Taktik, entschied er, folglich mußte er vorsichtig und behutsam vorgehen.

»Ich habe Jensen nicht umgebracht. Er war schon tot, als ich ihn fand.« Trotzdem klang es schwach und unglaubwürdig.

Laidlaw begutachtete die Spitze eines seiner glänzenden Schuhe. »Beginnen Sie am Anfang, als Sie die Scheibe einschlugen.«

»Ich fand Jensen im Studio, er lag auf dem Boden, tot. Ich hätte ihn nicht umbringen können, denn ich schätzte ihn zu sehr.«

»Dann haben Sie ihn also gekannt?«

»Ja, als Angestellter und auch als Freund.«

»Trotzdem sind Sie in sein Haus eingebrochen? Den Beweis dafür versteckten Sie im Schreibtisch, und bevor Sie gingen, packten Sie noch ein paar Kleider des alten Mannes ein. Dann verschwanden Sie, ehe Sie jemand entdecken konnte. Richtig?« Die tiefliegenden Augen ruhten unbeweglich auf Vivian.

»Natürlich wollte ich nicht unter falschen Verdacht geraten. Jensens Nichte war entführt worden. Die Kidnapper drohten mir, sie umzubringen, wenn ich zur Polizei ging.«

Laidlaws Augenbrauen hoben sich. »Also war sie zu der Zeit schon entführt? Und wo ist sie jetzt?«

»Auf meinem Boot im Hafen von Ramsgate. Und sie wird meine Unschuld bezeugen!«

Den Chefinspektor beeindruckte das nicht. »Dann war da noch Ihre getippte Nachricht auf Jensens Schreibtisch«, fuhr er fort. »Ich vermute, daß Sie damit Zeit gewinnen wollten?« Sein Ton war milde, aber in seinen Augen funkelte Verachtung.

»Ich sage es nochmals«, Vivian hob die Stimme, »Karen ist sicher auf meinem Boot oder auf dem Weg hierher und wird Ihnen wichtiges Beweismaterial vorlegen.«

»Etwa noch mehr Beweise?« Laidlaws Ton wurde hart. »Hören Sie, Vivian, so vergeuden wir nur unsere Zeit. Ich will Ihnen sagen, wie ich die Geschichte sehe. Sie können die Lücken später ausfüllen, wenn es welche gibt.« Er zog einige Papiere aus seinem Jackett und lehnte sich bequem zurück. »Sie haben für den Verstorbenen als Charterskipper gearbeitet und bekamen den Job offensichtlich wegen Ihrer Verdienste im Krieg und wegen Ihres neuen Bootes. Davor waren Sie ziemlich pleite, denn die Saison lief schlecht und Sie mußten hohe Abzahlungen auf das Boot leisten. Ich vermute, daß Sie sich deshalb in dunkle Geschäfte einließen.« Er machte eine Pause. »Ich spreche von Drogenschmuggel! Sie können mir glauben, daß ich über die Aktionen meiner Kollegen vom Zoll genau informiert bin.« Er ließ Vivian schwitzen. »Jensen scheint Wind von Ihrem Nebengeschäft bekommen zu haben und war wohl ziemlich erregt darüber. Außerdem waren Sie mit seiner Nichte ohne sein Wissen recht eng befreundet. In der Tatnacht haben Sie hier in Ramsgate einen Wagen gemietet und sind damit zu Jensens Haus gefahren. Dort täuschten Sie einen Einbruchdiebstahl vor. Sie wußten, wenn Jensen die Polizei über Ihre Aktivitäten informierte – und das hatte er wohl vor, sei es auch nur, um Ihre Affäre mit seiner Nichte zu beenden –, dann waren Sie geplatzt. Folglich überraschten Sie ihn in seinem Studio und erschlugen ihn mit einem schweren Gegenstand, den wir noch nicht gefunden haben. Aber das werden wir, Mr. Vivian, das werden wir bestimmt.« Die Stimme verlor ihren milden Klang und wurde ätzend. »Ich bin überzeugt, daß Sie Jensen getötet haben, um Ihre dreckige Haut zu retten.«

Vivian packte die Lehnen des Stuhls. »Das ist eine verdammte Lüge!« Er räusperte sich. »Ich sage Ihnen doch, er war schon tot, als ich ihn fand!«

Lieber Gott, warum kam Karen denn nicht? Sein ganzer Körper war schweißnaß. Mühsam ordnete er seine Gedanken.

Die Tür ging auf, ein Kopf erschien im Spalt. Laidlaw hob fragend die Braue, aber der andere schüttelte nur schweigend den Kopf und schloß die Tür wieder. Da wandte sich der Chefinspektor wieder Vivian zu, er wirkte jetzt umgänglicher.

»Vielleicht wollen Sie jetzt eine Aussage machen? Wir nehmen natürlich ein Protokoll auf, aber es ist erst mal inoffiziell. Wir können es später verbessern.« Über Vivians Schulter nickte er Sergeant Arnold zu, der seinen Notizblock zückte.

Vivian merke, daß er zitterte. Jetzt mußte er außerordentlich vorsichtig sein. Laidlaw hatte ihn absichtlich erregt, bevor es zur Aussage kam, denn er rechnete damit, daß sich Vivian in einem Lügengeflecht verstrickte.

»Mason hat Jensen getötet.« Vivians Stimme klang ruhig und fest. »Er betreibt einen Zwei-Wege-Handel, schmuggelt Drogen ins Land und Falschgeld hinaus. Damit bezahlt er die Drogen und wird gleichzeitig die Blüten los. Jensens Reisebüro benutzt er als perfekte Tarnung.«

»Woher bekommt er das Falschgeld?«

»Jensen besaß die Druckplatten.« Vivian zögerte. »Er war in Dänemark ein bekannter Graveur und hatte sie für die Deutschen hergestellt. Sie hatten ihn dazu gezwungen«, fügte er verteidigend hinzu.

»Hm. Aber hier hat ihn niemand gezwungen, vermute ich?« Laidlaws Gesicht blieb völlig ausdruckslos.

Vivian zuckte müde die Achseln. »Er wußte nichts von Masons Drogenschmuggel. Als er es herausfand, wollte er das ganze Unternehmen platzen lassen. Das hatte er übrigens schon seit längerem vor, denn er befürchtete, daß Karen ihm auf die Schliche kommen könnte.«

»Die Nichte wußte also von nichts?«

»Von nichts.« Verzweifelt beugte sich Vivian vor. »Mason hat Jensen getötet, weil er die Druckplatten retten wollte. Aber er konnte sie nicht finden, deshalb hat er das Mädchen entführt. So wollte er mich zwingen, sie für ihn zu besorgen. Ich brachte die Hälfte der Platten zu einem verabredeten Platz. Dort teilte Mason uns mit, daß er uns umbringen würde. Alles sollte wie ein Unfall aussehen – so wie der, der Morrie zustieß, als ich mit Karen flüchtete«, schloß er.

»Woher wußten Sie, wo die Platten waren?«

»Jensen konnte mir noch eine Nachricht hinterlassen, bevor er starb.«

Ein Fünkchen Interesse blitzte in Laidlaws Augen auf. »Wo ist sie? Was stand darauf?«

»Es war eine Skizze vom Versteck der Platten. Ich habe sie nicht mehr.«

»So, so.« Das klang endgültig.

»Sie glauben mir kein Wort, nicht wahr? Aber sobald Karen Felix Lang aufstöbert, werden beide meine Aussage bestätigen.«

»Haben Sie das alles?« Laidlaw blickte Arnold an. »Gut. Dann wollen wir das ein wenig vertiefen. Sie haben Felix Lang erwähnt, er ist Geschäftsführer der Reiseagentur. Was hat er mit der Sache zu tun?«

»Ich habe ihm von dem Mord und der Entführung erzählt.«

»Wann?« Die Frage war scharf wie ein Stilett.

»Nachts, als er auf mein Schiff kam.«

Laidlaw beugte sich vor, seine Augen funkelten. »Sie lügen!« Seine Lippen kräuselten sich verächtlich. »Was denken Sie, warum ich zur Mordkommission gekommen bin? Weil ich ruhig auf meinem Hintern saß und mir Märchen erzählen ließ? Bestimmt nicht.« Seine Stimme wurde zu einem gefährlichen Knurren. »Erstens haben Sie Jensen aus den Gründen getötet, die ich schon dargelegt habe. Zweitens: Die Nichte verfolgte Sie danach in ihrem Auto. Das hatten Sie nicht erwartet, folglich mußten Sie sie entführen, um sie am Sprechen zu hindern.«

»Warum sagen Sie das?« Vivian wurde bleich.

»Karens Auto wurde kurz vor der Zeit gesehen, die Dr. Mortimer als Jensens Todeszeit ermittelt hat. Zu dieser Zeit war Mason nachweislich in Ramsgate, ich habe sein Alibi überprüft. Er saß in einer Sauna!« Laidlaw lächelte dünn. »Was Mr. Lang angeht, so hat er Urlaub und befindet sich auf See. Ich weiß im Augenblick zwar nicht genau, wo, aber bei Ihnen an Bord war und ist er bestimmt nicht. Meine Männer haben das überprüft.«

Das war ein neuer Schlag. Wie betäubt sank Vivian zurück. Eisige Kälte kroch seinen Rücken empor, er konnte einfach nicht klar denken. Benommen schüttelte er den Kopf, um die lästigen Nebel zu vertreiben.

Felix war nicht an Bord. Dann war auch Karen nicht da! Er war allein und hilflos den erbarmungslosen Angriffen des Chefinspektors ausgesetzt.

Dann, plötzlich, kam ihm die Erleuchtung. Aber die Wahrheit war ein schrecklicher Schock. Er hatte Karen zu Lang geschickt! Zu Lang! Der Name wirbelte durch sein Hirn. Der Chefinspektor hatte gesagt, daß Lang in Urlaub auf See sei, und Vivian erinnerte sich an die Bootskleidung, die er zuletzt getragen hatte. Wer außer Felix hatte so bald von Jensens Tod gewußt und von den Scherben im Schreibtisch? Wer sonst hatte die Gelegenheit und ein Motiv – bei Gott, und was für ein Motiv! In Vivians Kopf drehte sich alles. Die anderen im Zimmer schwiegen und beobachteten ihn so fasziniert wie Katzen eine verwundete Maus.

»Felix Lang!« Wild blickte er die Detektive an. »Es muß Lang gewesen sein!«

»Also ist es jetzt ein anderer als Mason?« Laidlaw lächelte freudlos. »Sie geben einfach nicht auf, wie?«

»Um Himmels willen, verstehen Sie denn nicht? Ich habe Karen in den sicheren Tod geschickt!« Er brüllte es fast. »Wir müssen sie sofort suchen!«

Vivian sprang auf, aber als er zur Tür stürmen wollte, wurden seine Arme von hinten wie mit stählernen Klauen gepackt.

»Meiner Meinung nach haben Sie das Mädchen schon längst getötet.« Laidlaws Augen glühten. »Aber das werden wir bald herausfinden.« Er wandte sich zur Tür. »Doktor, sehen Sie sich mal seine Kopfverletzung an. Wahrscheinlich hat sich Jensen gewehrt, bevor er starb.« Sein ganzes Gesicht strahlte kalte Befriedigung aus. »Ich bin manchmal froh, daß ich diesen Beruf habe, und sei es nur, um so ein Schwein wie Sie zu fassen!«

9

Lange nachdem man ihn in die kleine, weiß getünchte Zelle gesperrt hatte, stand Vivian stocksteif auf derselben Stelle, unfähig zu einem klaren Gedanken. Zuerst hatte er auf die sich entfernenden Schritte gelauscht, aber dann hüllte ihn Stille ein. Die hellen Wände schienen immer näher auf ihn zuzurücken. Unwillkürlich wich er zurück und lehnte sich an die verschlossene Tür.

Die Zelle mochte acht mal zehn Fuß groß sein und wurde von einer grellen elektrischen Lampe hell erleuchtet. Vor dem Fenster aus massiven Glasbausteinen ganz oben unter der Decke wurde es Abend.

Die Kälte der Tür ließ Vivian langsam wieder zu sich kommen. Er preßte die Handflächen dagegen, ein Schauder durchflutete seinen Körper. Zum ersten Mal in seinem Leben fühlte er sich völlig geschlagen und am Boden. Er brauchte die Abwechslung und Freiheit der See, hier zwischen den erdrückenden Mauern überkam ihn Beklemmung, die in schieren Terror auszuarten drohte. Er wollte schreien, gegen die geduldige Tür treten, aber er beherrschte sich mit Mühe.

Nach dem Anfall lehnte er den Kopf an das zerkratzte Metall und überlegte. Stimmen kamen zurückgeflutet und überlagerten seine Gedanken wie ein Sandsturm. Die ganze Zeit schrie es in ihm: Lang! Felix Lang! Seine Augen brannten vor Wut und Enttäuschung.

Nach dem Verhör hatte Laidlaw ihn der Spurensicherung überlassen. Angewidert musterte Vivian seine Fingerkuppen, die noch die dunkle Stempelfarbe aufwiesen.

»Morgen werden Sie dem Untersuchungsrichter vorgeführt«, hatte Laidlaw angekündigt, »und formell angeklagt. Sie können beruhigt schlafen, denn es wird einige Wochen dauern, bis ich die Untersuchung abschließen kann.«

»Zum letzten Mal: Werden Sie das Mädchen suchen?« Vivian wäre dem anderen Mann am liebsten an den Hals gesprungen. »Glauben Sie wirklich, ich wäre freiwillig hier hereinmarschiert, wenn ich einen Mord begangen hätte?«

Laidlaw hatte ihn aus schmalen Augen gemustert. »Wie ich schon sagte, alles Notwendige wird veranlaßt. Aber wir verfolgen keine Spuren, die auf bloßen Lügen basieren.«

Da zerbrach etwas in ihm. An den Weg zur Zelle konnte er sich nur undeutlich erinnern. Vage sah er den Polizeibeamten neben sich, der in einem großen Schlüsselbund nach dem richtigen Schlüssel suchte.

Eine dünne, krächzende Stimme hatte in einer Nachbarzelle zu singen begonnen, wahrscheinlich ein früh Betrunkener, den man für die Nacht zum Ausnüchtern eingelocht hatte.

Für Vivian spielte es keine Rolle mehr, was ihm widerfuhr. Er hatte wieder versagt. Karen! Karen, wie traurig sie ihn im Bus angesehen hatte . . . »Du mußt vorsichtig sein!« Ihre Worte gingen ihm nicht aus dem Kopf.

Er konnte sich nicht erinnern, wie lange er schon in der Zelle war. Mehrfach hatte er auf sein Handgelenk geschaut, aber nur auf einen weißen Streifen geblickt, wo die Uhr gesessen hatte. Sie hatten sie ihm mit allem anderen abgenommen. Er warf sich mit dem Gesicht nach unten aufs Bett, um dem grellen Licht zu entkommen. Er wollte an Karen denken, doch die ganze Zeit sah er nur Lang vor sich und hörte sein spöttisches Lachen.

Schließlich schoß ein neuer Gedanke durch seinen schmerzenden Kopf. Kein Wunder, daß Morrie und Cooper sich keine Gedanken darüber gemacht hatten, ob ihr Auto verfolgt wurde. Sie *wußten*, daß ihnen der ehrenwerte Mr. Lang folgte und zusah, wie sein Freund zu seinem Begräbnis gekarrt wurde.

Ausbruch. Er blickte sich um. Ihm blieb nur der Ausbruch! Aber schon die Idee schien vermessen. Wer dieses Gefängnis entworfen und gebaut hatte, war kein Risiko eingegangen.

Er erinnerte sich daran, was Laidlaw gesagt hatte: morgen zum Untersuchungsrichter. Was immer dort geschehen würde, es brachte ihn nur weiter fort von Karen. Er hatte keine Chance, sie zu retten. Lang hatte ihn von Anfang an skrupellos ausgenutzt. Diese Erkenntnis schmerzte tief. Er versuchte, eine Entschuldigung für seinen Kriegskameraden zu finden, aber er wußte, daß es keine gab. Lang hatte die Platten haben wollen und alles, was damit zusammenhing. Als ihm Mason berichtet hatte, daß die Drogen über Bord gegangen waren und daß Vivian Jensen besuchen wollte, mußte er wie der Teufel zum Haus in Hampton Court gerast sein, um mit ihm einen Handel abzuschließen. Aber als ihm Jensen eröffnete, daß er bereits mit Vivian und seiner Nichte telefoniert hatte und daß sie auf dem Weg zu ihm waren, mußte Lang klargeworden sein, daß er sofort handeln mußte. Sonst wären seine Träume vom Reichtum wie Seifenblasen zerplatzt.

Vivian konnte sich gut vorstellen, wie Lang die Beherrschung verloren hatte, das hatte er oft genug im Krieg erlebt. Wahrscheinlich hatte er zuerst versucht, Jensen einzuschüchtern, der ihm aber kühl erklärte, daß sich die Platten schon in Vivians Besitz befanden. Und nachdem er sich so verraten hatte, mußte Lang zuschlagen. Vivian sah vor sich, wie er mit Mason telefonierte und ihm knappe Anweisungen gab, als wären es Befehle auf See: »Schnappt euch das Mädchen! Jensen weiß zuviel. Man muß sich um ihn kümmern.« Kümmern? So wie man sich um seinen Vorgänger Patterson gekümmert hatte. Wie gut hatte er diesen Verbrechern in die Hände gespielt, dachte Vivian zerknirscht.

Ohne Zweifel hatte Lang gewartet, bis er sicher sein konnte, daß Vivian zu Jensen unterwegs war. Dann war er in das Haus zurückgekehrt, wahrscheinlich um seine Bitten und Drohungen zu erneuern. Jensen mußte die Gefahr, in der er schwebte, zu spät erkannt haben. Er arbeitete ruhig an seinem Zeichenbrett weiter, während sein ehemaliger Vertrauter sich hinter ihn schlich. Nur die Werbeplakate an der Wand wurden Zeugen des gemeinen Überfalls.

Je länger Vivian darüber nachdachte, desto klarer wurde ihm der Ablauf der Geschehnisse. Nur Lang konnte alles weitere so kaltblütig geplant haben. Er wußte, wie Vivian aus blinder Sorge um Karen reagieren würde. Erst der Köder, dann der Fang und zuletzt die Exekution. Und sowie er beide in sicherem Gewahrsam wußte, hatte er das Spiel mit der Polizei eröffnet.

Einen Moment keimte ein kleiner Hoffnungsschimmer in Vivian, und er setzte sich im Bett auf. Lang mußte einen fürchterlichen Schrecken bekommen haben, als ihm Cooper mitteilte, daß sie entkommen waren. Doch dann ließ er sich enttäuscht nach hinten fallen. Was machte das schon aus? Die Geschichte paßte noch immer, zum Beweis dafür saß er in dieser Zelle. Lang, wo immer er jetzt sein mochte, wußte genau, daß der Schlüssel zur Wahrheit bei Karen lag. Und er selbst hatte sie ihm in die wartenden Arme getrieben.

Ganz offensichtlich war die Polizei nur an der Aufklärung des Mordes interessiert und hatte den Fall schon als erledigt zu den Akten gelegt. Später, bei der Hauptverhandlung, würde seine Aussage gegen die Einlassungen von Mason und Lang nicht mehr bestehen können. Er begann zu schwitzen, als er an die Beweisführung der Polizei dachte. Er sah die Jury mitleidig lächeln und Masons Triumph. Und Lang! Der würde nur bedauernd die Schultern heben und sagen: »Na, alter Junge? Nun wirst du wohl bald die Nummer Eins da oben kennenlernen.«

In diesem Moment faßte er den Entschluß, bei erstbester Gelegenheit, ganz gleich, wie die Chancen standen, einen Fluchtversuch zu wagen. Er konnte und wollte nicht auf ein Wunder warten. In der Vergangenheit hatte er sich von der Gesellschaft abgesondert, und jetzt glaubte diese Gesellschaft der Aussage eines notorischen Lügners und Mörders, der ihn vernichten wollte. Er mußte fliehen, und sei es nur, um diesen Mann zu vernichten. Den Mann, dem er vertraut und den er bewundert hatte. Den Mann, der ihm seine einzige Chance auf Glück, auf das Leben selbst genommen hatte.

Blind und taub lag Vivian auf der Pritsche. Als das Licht von außen abgeschaltet wurde, starrte er weiter zur unsichtbaren Zellendecke hinauf, und in seinem Inneren tobte das Feuer der Mordlust.

Matt und lustlos erwachte Vivian aus unruhigem Schlaf. Es dauerte einige Zeit, bis sich seine Augen an die ungewohnte Umgebung der Polizeizelle gewöhnt hatten. Die Tür stand offen, das Knirschen des Schlüssel mußte ihn geweckt haben. Mit trüben Augen beobachtete er einen Constable, der ein Essenstablett auf den Tisch knallte und ihm zunickte.

»Morgen«, grunzte er, »Frühstück. Sobald Sie fertig sind, können Sie mitkommen und sich rasieren.« Damit schlug er die Tür wieder zu.

Vivian rieb sich das stoppelige Kinn. Es mußte noch verdammt früh sein, spekulierte er, denn durch das dicke Glasfenster drang kaum Licht, nur ein grauer Schimmer. Hungrig verschlang er die Würstchen mit gebackenen Bohnen und spülte sie mit einem Becher stark gesüßten Tees hinunter. Danach ging es ihm besser, sein Kopf war wieder klar. Anders als in der vergangenen Nacht, als er psychisch und physisch völlig am Boden gewesen war, konnte er jetzt seine Situation klar analysieren. Er hatte nichts außer seinem Leben zu verlieren, und das wurde schon von anderen zur Disposition gestellt. Aber zu gewinnen hatte er die Befriedigung der Rache.

Zwei Constabler eskortierten ihn zum Rasieren, und er merkte nur zu gut, daß sie jede seiner Bewegungen scharf beobachteten. Sie hielten ihn wohl für einen Mörder der schlimmsten Sorte.

Er wischte sich das brennende Gesicht mit dem Handtuch ab. »Ist es nicht ein bißchen früh heute morgen?« fragte er gleichmütig.

Die beiden Wächter blickten sich an, dann lächelte der eine kurz. »Ach so«, er nickte, »Sie denken, daß es draußen noch dunkel ist. Aber Sie können es in Ihrer Zelle nicht wissen: Wir haben über dem Kanal den schlimmsten Nebel seit Jahren.«

»Wirklich?« Vivian unterdrückte seine steigende Erregung. »Es ist fast noch dunkel, dabei haben wir schon acht Uhr.«

»Wissen Sie, wann ich abgeholt werde?« Vivian faltete das Handtuch zusammen.

»Bald vermutlich. Bei diesem Wetter werden sie nicht mit der grünen Minna kommen, sondern mit einem Personenwagen.«

»Der Inspektor wird Sie in seinem mitnehmen«, mutmaßte der andere.

Kurze Zeit später wurde er zum Hauptgebäude und dort in einen hohen, kahlen Raum geführt, der »Charge Room« genannt wurde. Auch hier konnte er die Spannung der Polizisten spüren, die ihn neugierig beobachteten, aber es gelang ihm, sie zu ignorieren. Seine ganze Aufmerksamkeit galt dem drückenden Nebel, der sogar bis in die Polizeiwache drang. Als Seemann wußte er, daß er eine außergewöhnliche Gefahr für die Schiffahrt darstellte, doch in dieser Situation war er sein einziger Verbündeter.

In seinen Gedanken wurde er durch die lautstarke Ankunft von Chefinspektor Laidlaw unterbrochen, der seine Augen überall schweifen ließ. Die uniformierten Polizisten traten respektvoll zurück, das Summen der Gespräche verstummte. Sergeant Arnold folgte seinem Chef auf dem Fuße, in seinen Armen einen Papierstapel. Laidlaws Regenmantel wies dicke Wassertropfen auf; draußen mußte wirklich die reinste Waschküche sein.

»Wir fahren gleich los«, verkündete Laidlaw. »Nach der Verhandlung kommen wir hierher zurück, dann werden Sie von Gefängniswärtern übernommen, solange Sie in Untersuchungshaft sitzen. Ich nehme nicht an, daß Sie Ihre Aussage noch ändern wollen?«

»Ich habe Ihnen die Wahrheit gesagt«, antwortete Vivian leise.

Nachdenklich blickte Laidlaw ihn an. »Wir werden ja sehen.« Er drehte sich nach seinem Sergeanten um. »Übrigens, sollten Sie auf Fluchtgedanken kommen, vergessen Sie's.« Sein Gesicht wurde hart. »Meine Jungs kennen ihren Job aus dem Effeff.«

Vivian zog ärgerlich die Schultern hoch und schwieg. Vielleicht gehörte diese Warnung ja zur Routine. Vielleicht hatte Laidlaw früher mal Pech mit einem Gefangenen gehabt. Seine Aufmerksamkeit wurde von einem Neuankömmling erregt, einem Constable, dessen Helm feucht glänzte. »Der Wagen ist vorgefahren, Sir«, meldete er. »Bei dem Nebel müssen wir mit einer knappen halben Stunde rechnen.«

Eine kleine Prozession setzte sich in Bewegung, auch der Betrunkene stieß zu ihnen. »Er fährt im anderen Wagen«, erläuterte der Fahrer. »Wir bleiben hinter ihm.«

Schöne Gesellschaft, dachte Vivian grimmig, ein Säufer und ein Mörder. Im nächsten Augenblick nahm ihn Sergeant Arnold am Arm und führte ihn auf den geschlossenen Hof hinaus. Dicke, nasse Nebelschwaden umfingen sie. Arnold packte Vivians Arm fester.

Laidlaw wies ihnen den Weg zum Auto, dessen verschwommener Umriß nur am schwachen Licht der Scheinwerfer zu erkennen war. Laidlaw warf sich in eine Ecke des Rücksitzes, Vivian fand sich in der Mitte zwischen ihm und dem Sergeanten wieder, der fluchend seine Papiere sortierte, die ihm beinahe entfallen wären. Die Polster fühlten sich kalt und klamm an. Die Fenster waren bereits dunkel von den Ablagerungen, die Scheibenwischer quietschten mühsam über die verschmierte Windschutzscheibe.

Der Fahrer quetschte sich hinters Lenkrad, ein weiterer Uniformierter setzte sich gelangweilt neben ihn. Schwache rote Lichter glommen auf, als der andere Wagen zurückstieß. Dann knirschten Gänge, und beide Autos krochen vorwärts. Sie passierten den verwischten Schatten des Haupttors und einen Verkehrspolizisten mit weißen Handschuhen. Sekunden später hatte ihn der Nebel verschluckt.

Vivians Herz schlug schneller. Sie waren draußen. Mit schmalen Augen starrte er nach vorn auf das andere Auto. Mehrere Male verloren sie es aus den Augen, aber jedesmal bremste dann der andere Fahrer scharf, und seine roten Rücklichter leuchteten verschwommen auf. Wie Schiffe im Konvoi, dachte Vivian und erinnerte sich an das Chaos, wenn ein Frachter mit dem anderen im Nebel kollidierte.

Er merkte, daß ihn Laidlaw aus seiner Ecke heraus beobachtete. Der Fahrer fluchte, als der Wagen auf dem nassen Asphalt schlingerte.

Arnold streckte unruhig die langen Beine unter dem Vordersitz. »Zu dumm, daß wir nicht vorne fahren.«

»Dumm, daß wir überhaupt hier sind!« Vivian war über seine Gelassenheit selbst überrascht. Er spürte, daß die Spannung im Wagen nachließ.

Laidlaw putzte sich geräuschvoll die Nase, starrte voll Abscheu in sein Taschentuch und verstaute es dann sorgfältig. »Dieser Dreck kriecht einem bis in die Lunge«, brummte er.

Wieder leuchteten die Bremslichter vor ihnen auf, wieder stieg auch ihr Fahrer auf die Bremse. Schimpfend putzte er die Windschutzscheibe mit seinem Jackenärmel. Sie warteten, der Motor brummte geduldig weiter. Vorn knallte gedämpft ein Wagenschlag zu, und zwei dunkle Gestalten stiegen aus.

»Was zum Teufel geht da vor?« Laidlaw blickte auf seine Uhr. »Wir sind schon jetzt verdammt spät dran.«

»Sie scheinen irgendwas am Straßenrand zu suchen.« Zum ersten Mal sprach der Beifahrer. »Sie haben die Tür offen gelassen, da wird es wohl nicht lange dauern.«

»Steigen Sie aus und sehen Sie nach, Sie Narr!« Laidlaw verlor allmählich die Geduld. Mit einem verletzten Blick über die Schulter begann der Mann umständlich seinen Helm aufzusetzen. Der Fahrer zog die Handbremse an und stellte den Motor ab.

Gereizt riß der Constabler die Tür auf und verschand in der dicken Suppe. Die Tür ließ er sperrangelweit offen, so daß der Nebel ins Auto drang. »Um Himmels willen, macht zu!« Laidlaw hustete ärgerlich.

Ohne nachzudenken beugte sich Vivian über den Vordersitz, seine Finger suchten nach der Türkante. Er spürte, wie der Sitz unter seinem Gewicht nachgab. Sein Blick fiel auf den glänzenden Asphalt. So nahe – und doch so fern. Da durchzuckte es ihn wie ein Blitz: Das war der Moment! Jetzt oder nie!

Mit einem wilden Keuchen stieß er sich ab und warf seinen schweren Körper mit aller Kraft nach vorn. Mit der anderen Hand klammerte er sich an die Tür. Der Sitz brach unter seinem Gewicht zusammen, um sich tretend zog er sich darüber hinweg und stürzte mit dem Kopf voraus auf die Fahrbahn.

Eine Hand packte sein Fußgelenk wie eine eiserne Klammer, aber er keilte verzweifelt aus. Sein Absatz traf auf etwas Hartes; ein schmerzhaftes Stöhnen war die Antwort, dann kam sein Fuß frei.

Er hörte Laidlaws Stimme dicht über seinem Kopf, der den anderen befahl, ihn festzuhalten. Da stützte er sich ab, rollte sich zur Seite und stand wie eine Katze auf den Füßen. Eine Tür krachte laut, und als Vivian um den Wagen herumlief, stieß er gegen den Fahrer, der mit seinem Knüppel ausholte. Schnell wich er zur Seite, seine Hüfte streifte das Auto, dann hieb er die Faust in das bleiche Gesicht. Jetzt waren weitere Rufe und Schritte auf der Straße zu hören, aber er rannte schon weg. Fast wäre er über den gekrümmten anderen Gefangenen gefallen, der damit beschäftigt war, sich am Straßenrand zu übergeben. Deshalb also hatten sie gehalten. Vivian drückte sich vorbei und schlug einen weiteren drohenden Schatten zu Boden, ehe sich der andere von seiner Überraschung erholt hatte.

So schnell er konnte, hetzte er am Straßenrand entlang, seine Gummisohlen machten kein Geräusch. Mit weit aufgerissenen Augen suchte er nach einem Fluchtweg. Hinter sich hörte er Hupen, Türen schlagen und das Aufheulen der Motoren, aber es klang schon gedämpft, als käme es von weit her. Die rußige Luft brannte in seinen Lungen, aber er zwang seinen Körper unter Aufbietung aller Willenskraft vorwärts. Der Nebel näßte sein Gesicht und kühlte seine schwer atmende Brust, die von dem zerrissenen Jackett kaum bedeckt wurde.

Die Motoren wurden lauter, er stolperte gegen einen Laternenpfahl und verlor wertvolle Zeit. Immer noch schienen die genagelten Stiefel näher zu kommen, ihn langsam, aber sicher einzuholen.

Es war nur einer, dachte er wild, aber einer genügte. Er konnte ihn so lange beschäftigen, bis die anderen zur Stelle waren. Wie sollte er ihn abschütteln? Keiner der Wagen hatte Funk, folglich würde es einige Zeit dauern, bis allgemeiner Alarm ausgelöst wurde.

Der Randstein ging in einen Kiesweg über. Vivian wandte sich nach links, sein Atem kam in hastigen Stößen. Er lief einen schmalen Pfad zwischen grünem Gebüsch hinunter. Vielleicht waren es auch grüne Mauern, egal, jedenfalls war er von der Hauptstraße weg.

Beinahe hätte er laut aufgeheult, als ihn eine hohe Wand zum Anhalten zwang. Seine Kehle war trocken, er zitterte am ganzen Körper. Suchend rannte er von einer Seite zur anderen, aber es gab keinen Ausweg, er stand in einer Sackgasse.

Die Mauerkrone war acht Fuß über ihm. Er sammelte Kraft zum Sprung, da verdunkelte sich der Nebel hinter ihm, und eine Gestalt kam gebückt auf ihn zu.

Sergeant Arnold blieb stehen, seine Brust hob und senkte sich, seine Krawatte baumelte lose aus dem Jackett. Wortlos belauerten sie einander wie wilde Tiere. Ihre Umrisse verschwammen im Nebel.

Eine Hupe ertönte drängend. »Los, du Bastard! Kommst du freiwillig – oder muß ich dich holen?« knirschte Arnold.

Vivian lehnte an der Mauer, er konnte nicht sprechen. Ein Sprung hätte ihn in Sicherheit gebracht, aber er wußte, sobald er Arnold den Rücken kehrte, würde sich dieser auf ihn stürzen.

Eine Stimme hallte durch die kleine Gasse: »Sind Sie da, Sergeant? Hören Sie mich?«

Arnold grinste und wandte halb den Kopf, um zu antworten.

Mit einem verzweifelten Keuchen stieß Vivian sich von der Wand ab und sprang ihn an. Seine vorgestreckten Hände packten Arnolds Brust, und bevor dieser um Hilfe rufen konnte, hatte er ihn umgerissen.

Sie rollten über den Boden und prügelten aufeinander ein. Jedesmal, wenn ein Schlag sein Ziel traf, grunzte der Getroffene schmerzlich. Arnold trat mit seinen langen Beinen um sich, langsam aber sicher wälzte er sich auf Vivian. Ihre Gesichter waren nur Zentimeter voneinander entfernt. Vivian spürte, daß Arnold ein Knie zurückzog, um einen vernichtenden Stoß zu landen. Mit letzter Kraft drehte er sich weg und bekam eine Hand frei, damit hieb er Arnold seitlich gegen den Hals. Als er sich unter dem plötzlich schlaffen Körper hervorrollte, wußte er, daß es vorüber war.

Irgendwie zog er sich über die Mauer und ließ sich auf der anderen Seite lautlos zu Boden fallen. Er blickte sich um und versuchte sich zu orientieren. Offensichtlich befand er sich in der nächsten Hintergasse. Wieder begann er zu laufen, aber langsamer und zuversichtlicher. Manchmal meinte er, im Kreis zu rennen, und oft wollte er in eine breitere Straße einbiegen, hielt dann aber inne, weil ihm sein Instinkt sagte, daß es die falsche Richtung war.

Meistens ging es bergab. Entweder war es das, was ihn leitete, oder aber die See rief ihn, jedenfalls bewegte er sich mit traumhafter Sicherheit, obwohl er die meiste Zeit kaum die Hand vor Augen sehen konnte. Mehrere gebeugte Gestalten eilten an ihm vorbei, aber er hielt sicheren Abstand. Ramsgate wirkte wie ausgestorben, denn bei diesem Nebel verließ kaum ein Gast freiwillig seine Unterkunft. Einmal erstarrte Vivian, als er einen Polizisten langsam über das nasse Pflaster schlendern sah, aber der achtete nicht auf ihn; vielleicht wußte er noch nicht, was passiert war.

Plötzlich blieb Vivian stehen und hob witternd die Nase, dann eilte er weiter, angelockt vom salzigen Duft des Meeres und dem scharfen Geruch nach Tang. Er wußte, daß er sich seinem Ziel näherte, und bewegte sich noch vorsichtiger.

Der verschwommene Umriß eines Zigarettenkiosks zeigte ihm

schließlich seine genaue Position, denn hier war er früher viele Male gewesen. Scheinbar entspannt schlenderte er zum Haupttor des Hafens. Hier waren mehr Leute unterwegs.

Wieder blieb er stehen und zwang sich zum Nachdenken, bevor er den nächsten Schritt unternahm. Er war so aufgedreht, daß ihm das Denken schwerfiel. Seine Bewegungen liefen automatisch ab oder waren vom Instinkt gesteuert.

Wahrscheinlich befand sich eine Wache an Bord seines Schiffes, schon allein, um Schaulustige fernzuhalten. Jedenfalls durfte er kein Risiko eingehen.

Während er noch überlegte, hörte er einen Wagen langsam aufs Hafengelände fahren und anhalten. Er konnte ihn nicht sehen, aber eine Stimme ganz in seiner Nähe sagte: »Sieh mal, Jane, ein Streifenwagen.«

Vivian verschmolz mit dem Nebel und spitzte die Ohren.

Schwere Stiefel knirschten, er hörte ein Räuspern. »Alles klar, Sergeant.«

»Gut. Behalten Sie das Tor im Auge. Sie brauchen nicht im Hafen zu patrouillieren, solange Sie hier scharf aufpassen.«

»In Ordnung, Sergeant. Glauben Sie denn, daß er herkommen wird?«

»Das ist nicht sehr wahrscheinlich. Aber für alle Fälle . . .«

Der Constabler lachte. »Der arme Teufel muß völlig ausgerastet sein.«

»Passen Sie lieber auf, daß er Sie nicht in die Finger kriegt.« Der Wagen rollte leise weiter, seine Lichter wurden schnell schwächer.

Langsam atmete Vivian aus. Er wartete, bis der Polizist seinen Beobachtungsposten eingenommen hatte, dann entfernte er sich in die andere Richtung, bis er in den Yachthafen blicken konnte.

Er konnte das Wasser nicht erkennen, aber der Mastenwald bewegte sich gespenstisch. Vorsichtig tastend stieg er die Steinstufen hinunter. In seinem Kopf formte sich ein Plan und beschäftigte ihn so, daß er beinahe über eine Gestalt gestolpert wäre, die auf der untersten Stufe hockte. Es war ein einsamer Angler, das Wasser umspielte seine hohen Gummistiefel.

»Lausiger Morgen!« knurrte er, ohne sich umzudrehen; seine Augen ruhten unverwandt auf seiner fast unsichtbaren Angelspitze. »Wenigstens hält es die verdammten Kinder fern!«

»Ja, der Nebel ist ziemlich dick«, stimmte Vivian zu und trat zurück, um sein abgerissenes Äußeres zu verbergen. »Schon lange hier?«

Der Angler spuckte aus. »Seit zwei Stunden und noch nichts gefangen!«

Vivian trat noch einen Schritt zurück.

»Aber ich sage Ihnen, ich wäre gern früher hiergewesen.«

»Wirklich?«

»Ja.« Der Mann lachte kurz auf. »Mein Freund, der hier auf Aale geht – als ob man hier Aale fangen könnte! –, hat mir erzählt, daß so ein blöder Yachtie kurz vor dem Nebel mit großem Getöse ausgelaufen ist.« Vor Lachen schüttelte es ihn. »Vermutlich steckt er jetzt mitten in der Suppe.«

Vivian war plötzlich hellwach. »Was für eine Yacht war denn das?«

Aber schon während er fragte, wußte er, es mußte Lang gewesen sein. Er mußte Karen abgefangen haben, als sie in den Hafen kam. Vivian starrte in die Nebelwand, sein Kopf drehte sich.

»Den Namen weiß ich nicht, aber Jim erzählte, daß auf dem Bug so ein feiner Pinkel mit Krawatte stand, der mit der Taschenlampe die Mole anleuchtete, um sie nicht zu rammen.«

Vivian murmelte einen Gruß und eilte die Stufen hoch. Es gab noch eine Chance, eine winzig kleine Chance! Wie zur Antwort hörte er das klagende Läuten der Nebeltonne an der Hafeneinfahrt.

Er rannte auf die Mole des Vorhafens, zog ohne weiter nachzudenken Jackett und Hose aus und stand nackt auf den schlüpfrigen Steinen. Während der kalte Nebel seinen Körper umstrich, ließ er sich an einer der Festmacherketten ins kalte ölige Wasser hinunter. Als das Wasser über seinem Rücken zusammenschlug, stieß er sich mit den Füßen von der grünen, schleimigen Mauer ab und schwamm lautlos hinaus.

Wie häufig bei solchem Wetter war die Sicht an der Wasseroberfläche besser. Vivian begann mit langen kräftigen Zügen die unsichtbare Reede zu überqueren. Es war eine gespenstische Erfahrung. Gelegentlich hörte er Gesprächsfetzen, ein Lachen ganz in der Nähe und seltsame, unerklärliche Geräusche. Die untere Hälfte eines blauen Rumpfes – der obere Teil blieb im wogenden Nebel unsichtbar – schien vorbeizutreiben: das Reserve-Rettungsboot, das friedlich an seiner Muring lag, genau wie er vermutet hatte. Er legte eine Pause ein, indem er sich an einem seiner Festmacher festhielt. So weit, so gut. Der nächste Abschnitt würde schwieriger sein, denn jetzt gab es keine Anhaltspunkte mehr, jedenfalls keine sichtbaren. Er mußte sich ganz auf seinen Orientierungssinn verlassen.

Noch fühlte er sich eher erfrischt als erschöpft, aber das konnte auch vorübergehend sein. Er war umsichtig genug, sich nicht völlig zu verausgaben. Mit gleichmäßigen Schlägen kraulte er weiter und beobachtete dabei ständig die Nebelbänke voraus, die sich über das ruhige Wasser wälzten.

Er befand sich im breitesten Teil des Vorhafens und fühlte den starken Sog des Unterstroms. Allmählich verlor er jedes Zeitgefühl und konnte nur beten, daß er noch in die richtige Richtung schwamm. Die Glockentonne war ihm keine Hilfe, denn ihr Läuten schien teuflischerweise aus stets wechselnder Richtung zu kommen.

Vivians Arme und Beine begannen zu schmerzen, sein Körper wurde schwer. Er wußte nur zu gut: Wenn er sich in der Richtung geirrt hatte, dann konnte er schon aus der Hafeneinfahrt hinausgespült worden sein und sich jetzt auf dem Weg nach Frankreich befinden. Er spuckte Wasser, als sein Kopf von einer Welle überspült wurde, und konzentrierte sich grimmig wieder aufs Schwimmen. Es wäre nur zu leicht gewesen, sich von Panik übermannen zu lassen.

Bim, bim! Die Glocke kam näher, oder war sie schon hinter ihm? Fluchend hielt er inne und trat Wasser. Zu seiner Linken entdeckte er einen langen grauen Schatten, starrte ihn verständnislos an und fragte sich, welche Luftverwirbelung diesen neuen Spuk erzeugte. Aber anders als sonst schien sich dieser nicht zu bewegen. Er entschloß sich, darauf zuzuschwimmen.

Sein Herz machte einen Satz, als ein schriller Pfiff durch die Luft schnitt, dann folgte ein barscher Befehl über Lautsprecher. Natürlich! Der graue Schatten war das Fischereischutzboot, auf dem er früher oft mit den Offizieren einen Schluck getrunken hatte, wenn er Ramsgate anlief. Der Pfiff war das Signal des Bootsmanns zum Dienstbeginn. Gott sei Dank! Er wußte, daß sein Boot nur fünfzig Meter unterhalb davon lag. Lang hatte bei dem Wetter bestimmt daran festgemacht und war dann mit dem Charterboot verschwunden.

In Augenhöhe sah er *Seafox'* schlanken, schimmernden Rumpf, und der Anblick verlieh ihm neue Kräfte. Mit einigen vorsichtigen Stößen erreichte er sein Boot. Der weiße Rumpf fühlte sich unter seinen nassen Händen gut an. Er schob sich zur angehängten Badeleiter nach achtern und lauschte noch einen Augenblick. Dann kletterte er an Deck. Im nächsten Moment hatte er die Ruderhaustür geöffnet und stand in einer sich schnell vergrößernden Pfütze. Beim Anblick des glänzenden Ruders, des Kompaßhauses und all der anderen vertrauten Gegenstände fühlte er einen Kloß im Hals. Sein Boot! Mit ihm hatte der ganze Ärger angefangen. Trotzdem vermittelte es ihm ein Gefühl der Sicherheit. Kaum zu glauben, daß seine Welt da draußen in Scherben lag. Er wurde gejagt.

Gewandt bewegte er sich durch das dunkle Boot, zog Bootsschuhe, eine saubere Drillichhose und ein Hemd über. Kaum nahm er sich Zeit, sein verstrubbeltes Haar zu kämmen, denn er mußte den Hafen verlassen haben, bevor der Nebel sich hob. Nichts anderes zählte.

Wenn er doch nur seine beiden starken Diesel hätte starten können, dann wäre er blitzschnell im Nebel verschwunden gewesen. Aber er wußte, daß beim ersten Aufheulen der Motoren im Hafen Alarm ausgelöst werden mußte. Er ging wieder an Deck und machte sein Beiboot und eine Schleppleine klar. Daran setzte er das Boot am Bug der Yacht aus. Wieder lauschte er. In der Ferne bellte ein Hund, ziemlich nahe lachte ein Mann, aber weiter ereignete sich nichts. Vivian machte *Seafox* los und sprang ins Dingi. Mit kräftigen Schlägen begann er zu rudern. Die Schleppleine hob sich aus dem Wasser und hing tropfend durch, bis Zug auf sie kam. Dann spannte sie sich, und Vivian legte sich noch stärker in die Riemen. Der schnittige Bug der Yacht begann ihm zu folgen. Wäre nicht die kleine Welle an seinem Steven gewesen, hätte man glauben können, daß die Boote regungslos im Nebel schwebten. Vivian biß die Zähne zusammen und pullte. Die Leine ruckte, *Seafox* gierte, aber der kleine Schleppzug nahm Fahrt auf. Jetzt gab es kein Zurück mehr, selbst wenn er gewollt hätte.

Einige Male verringerte er wegen seiner schmerzenden Arme das Tempo, dann stieß der weiße Bug drohend nach ihm. Es schien jedesmal eine Ewigkeit zu dauern, bis er die Leine wieder gestrafft hatte.

Die Glockentonne war jetzt viel lauter, und er hielt sich gut frei davon. Eine falsche Bewegung, und die Yacht würde an der Steinschüttung davor auflaufen. Ein schwaches gelbes Licht erschien über seiner rechten Schulter. Einen schrecklichen Augenblick befürchtete er, daß es ein einlaufendes Schiff wäre, dann erkannte er, daß es die Signalstation auf dem Molenkopf sein mußte. Das Licht glitt vorbei und verschwand im Nebel. Er war draußen! Die Dünung wurde länger und hob das Dingi an, da wußte er, daß er auf See war.

Er pullte weiter, obwohl seine Arme schier aus den Gelenken springen wollten und Stiche wie von heißen Messern ihm durch die Wirbelsäule fuhren. Schließlich merkte er, daß er nicht mehr konnte. Er mußte die Maschinen starten.

Die Yacht kam langsam zum Stehen und rollte ungemütlich. Vivian befestigte das Dingi am Heck und kletterte an Bord. In der Ferne konnte er noch schwach die Nebelglocke hören. Da Ebbstrom herrschte, trieb er mit jeder Minute weiter von Ramsgate fort, in nordöstlicher Richtung auf das Feuerschiff *North Goodwin* zu. Deshalb konnte er noch etwas warten, bevor er die Motoren anwarf.

Das Boot holte in der langen Kanaldünung weit über, loses Gerät klapperte und schepperte unter Deck, und er selbst mußte sich am Kartentisch festhalten. Ein Gefühl des Verlusts, der Sinnlosigkeit beschlich ihn. Er versuchte es zu verdrängen. Sein Ausbruch war geglückt, nun mußte er seinen nächsten Schachzug planen.

Er turnte in den Maschinenraum hinunter, hob die Bodenplanken bei den Schwungrädern an und tastete die eiskalte Rundung ab. Die restlichen Druckplatten waren verschwunden. Er fluchte leise. Lang mußte das Boot genau durchsucht haben, vielleicht hatte er Karen auch das Geheimnis abgeluchst.

Verbittert warf er die Planken und plierte durch die feuchten Fenster. War seine Flucht aus dem Hafen wirklich richtig gewesen? Sobald sich der Nebel lichtete, mußte er für jedes Schnellboot oder jeden Hubschrauber eine leichte Beute sein. Der Alarm war vielleicht schon ausgelöst. Er zuckte die Achseln, weil seine Befürchtungen im Grunde keine Rolle spielten. Viel wichtiger: wohin war Lang mit Karen gefahren?

Er schaltete das Licht am Kartentisch an, entfaltete die Karte des Seegebiets und studierte sie sorgfältig. Seine jetzige Position mußte er durch Koppeln ermitteln.

Ihn fröstelte, deshalb goß er sich ein großes Glas Whisky ein und leerte es mit einem Zug. Noch einmal füllte er das Glas, hielt es vor die Salonlampe und betrachtete die bernsteingelbe Flüssigkeit darin. *Seafox* holte ungewöhnlich weit über, ein Buch polterte auf den Teppich.

Er bückte sich, um es aufzuheben. Verwundert sah er, daß es sich um das Kursbuch handelte, aus dem er sich den Zug von Torquay nach London herausgesucht hatte. Damit hatte alles angefangen. Er spreizte die Beine für einen festen Stand und begann zu blättern. Dabei entdeckte er ein Streichholz, das zwischen die Seiten geklemmt war, und schlug das Buch an dieser Stelle auf. Mit mäßigem Interesse begann er zu lesen.

Plötzlich lief ihm ein Schauer über den Rücken, denn unter den Namen von Margate hatte jemand mehrere Bleistiftstriche gemacht. Mit zitternden Händen hielt er das Buch ans Licht. Was er da gefunden hatte, waren die Abfahrtszeiten der Züge von Margate nach London. Er schlug das Buch mit einem lauten Knall zu. Natürlich! Lang mußte hier gesessen und das Kursbuch studiert haben, dann war er nach Margate gefahren. Das lag weit genug von Ramsgate entfernt, so daß er dort keine Aufmerksamkeit erregen würde. Von da konnte er leicht nach London gelangen, den besorgten Dienstherrn mimen und scheinbar alles tun, um die Polizei zu unterstützen.

Aber wo war Karen? Mit den Daumen auf den Starterknöpfen erstarrte Vivian, und der Atem stockte ihm. Karen! Wie leicht mochte es gewesen sein, sie im Nebel aus dem Boot zu stoßen!

Entschlossen drückte er die Starterknöpfe, nacheinander erwachten die Maschinen zum Leben. Erst rumpelten sie, aber nach kurzer Zeit brummten sie zufrieden und rund. Er merkte kaum, daß er die Gashebel nach vorn legte, so heiß brannte in seinem Herzen der Haß.

Er wirbelte das Ruder herum, die Yacht legte sich auf die Seite und ging auf den neuen Kurs. Der Bug stieg leicht über die langen Roller und schnitt eine weiße Spur in das ölig glatte Wasser. Vivian beobachtete die tanzende Kompaßrose.

»Nun mach schon, altes Mädchen«, zischte er durch die zusammengepreßten Zähne, »laß mich jetzt nicht im Stich.«

Langsam drückte er die Gashebel ganz nach vorn, was er sonst höchst selten tat. Das Boot zitterte und schüttelte sich, während es durch die See stürmte. Die Nadeln der Umdrehungsanzeiger kletterten höher und höher, die Schrauben bissen schneller und schneller ins Wasser und schoben den scharfen Steven mit aller Kraft vorwärts.

10

Dichte Nebelbänke umgaben das Boot; vom Ruder aus konnte Vivian gerade noch den Bug sehen. Er hatte den Eindruck, daß *Seafox* sich in eine feste Masse hineinbohrte, die schleimig an Aufbauten und Rumpf klebte, um ihre schnelle Fahrt zu bremsen.

Er schaltete den Autopiloten ein und begann seine Vorbereitungen zu treffen. Aus dem Erste-Hilfe-Kasten holte er die gefährlich glänzende Pistole. Mit einer Routine, die er längst vergessen glaubte, zog er den Schlitten zurück und lud die Waffe durch. Es wird dir noch leid tun, daß du sie mir gegeben hast, Felix! dachte er und steckte die Waffe hinter seinen Gürtel. Als nächstes nahm er seine Signalpistole, die immer griffbereit lag, riß ein Paket mit Signalpatronen auf und steckte eine der roten Patronen in den dicken Lauf. Dann klappte er die Waffe wieder zu. Zuletzt machte er einen prüfenden Rundgang durch das Boot und war sich dabei klar, daß es das letzte Mal sein konnte. Wieder am Ruder, entspannte er sich bewußt und beobachtete ihre tollkühne Fahrt durch den Nebel. In wenigen Minuten würde er den Kurs nach Westen ändern müssen, um gut klar vom gefährlichen North Foreland zu bleiben und Margate anzulaufen – immer vorausgesetzt, daß seine Berechnungen korrekt waren.

Noch einmal tastete er sich über die nassen Planken zum Vordeck. Er schmeckte Salz auf den Lippen, Feuchtigkeit setzte sich in sein Haar und seine Bekleidung. An der Reling klammerte er sich fest und lauschte aufmerksam. Das Donnern der Motoren klang hier gedämpft, deshalb hörte er zu seiner Befriedigung das Quäken eines fernen Nebelhorns. Er zählte die Kennung aus, es war North Foreland.

Leicht konnte man hier vorn jedes Gefühl für Raum und Zeit verlieren. Vivian stand aufrecht im Bugkorb und federte die Schiffsbewegungen mit den Knien ab. Ihm war, als ob er durch die Luft flöge oder wie ein Seevogel dicht über die Wellenkämme striche. Er wischte sich das klatschnasse Gesicht. Warum machte er nicht einfach einen Schritt nach vorn? Sollte Karen nicht mehr sein, hatte das Leben auch für ihn keinen Sinn mehr. Warum wollte er eine Existenz unnötig verlängern, die dann ohnehin zerstört war? Er stellte sich vor, wie das Boot ihn mit dem Kiel unter Wasser drücken und mit seinen rasenden Propellern zerfleischen würde. Vom Autopiloten auf Kurs gehalten, würde es als Geisterschiff allein durch den Nebel jagen, bis es schließlich an irgendeiner Küste zerschellte oder von einem neugierigen Skipper eingefangen wurde.

Er schwankte und packte die Reling fester. Nein! Er hatte noch eine Aufgabe zu erfüllen.

Wieder erklang das Nebelhorn an Backbord voraus, diesmal schien es näher zu sein. Er kehrte zum Ruderstand zurück, und als er die Uhrzeit sah, fluchte er und wirbelte das Rad herum, um auf den neuen Kurs zu gehen. Die Motoren wurden gedrosselt, jetzt lief die

Yacht ruhiger. Vivian hatte alle Fenster geöffnet und hielt konzentriert Ausschau. Er wußte, daß vor dem salzverkrusteten Bug Margate lag. Hier lag auch eine Charterflotte der Agentur, vielleicht würde er zwischen ihren Booten Lang finden.

Die Sportbootreede war etwa zwei Meilen lang, also würde es wieder Arbeit für das Dingi geben. Lauschend reckte er den Kopf, denn er hörte das wehleidige Quäken eines neuen Nebelhorns: die Einfahrt von Margate. Er war schon ziemlich nahe, daher zog er beide Gashebel zurück. Das Boot glitt leise weiter, protestierend klatschte das Wasser an die Bordwand. Die Tide lief schnell seewärts, Vivian wußte, daß die Fläche hinter dem kleinen steinernen Wellenbrecher in Kürze eine trügerische Schlickwüste sein würde.

Als die Bugwelle nur noch andeutungsweise zu sehen war, ließ er den Anker fallen und ärgerte sich über das Rasseln der Kette. Er sah sie schlaff werden, als der Anker durch den Schlick pflügte. Sie trieben dwars zum Strom, bis er mehr Kette steckte und das Boot schließlich mit dem Bug zum Strom aufdrehte.

Da befestigte er einen kleinen Kompaß an seinem Handgelenk und ließ sich mit einem Seufzer in das kleine Boot hinab, das aufsässig am Heck hüpfte. Er überprüfte seine beiden Waffen, dann stieß er sich von der Bordwand ab und pullte davon. Schon nach wenigen Sekunden hatte er den Blickkontakt zur *Seafox* verloren, obwohl er noch immer das Schamfielen der Kette in der Klüse hören konnte.

Gelegentlich machte er eine Pause, sah auf den Kompaß und lauschte, bis ihn die Ohren schmerzten. Zweimal änderte er den Kurs, um Ankerliegern auszuweichen, aber es waren fremde, verlassene Boote, und mit der Zeit sanken seine Hoffnungen.

Wieder machte er eine Pause, die Stille umfing ihn wie eine Decke. Nichts. Er ließ den Kopf sinken und starrte ins Wasser, das unter den Bodenbrettern schwappte.

Ding – ding! Ding – ding! Das war der Klang einer kleinen Glocke, die von unerfahrener Hand geläutet wurde. Der Ton weckte Vivians Lebensgeister, sein Kopf schoß in die Höhe, und er versuchte, die Richtung festzustellen.

Die glänzenden Riemenblätter hingen Zentimeter über dem Wasser. Das Glockensignal besagte, daß dort ein Boot im Nebel vor Anker lag. Da war es wieder. Sein Herz begann zu klopfen. Langsam und lautlos pullte er weiter. Auch wenn es ein fremdes Boot war, konnte er die Crew nach Lang fragen.

Wie ein Jäger auf der Pirsch schlich er sich an, sein Nacken schmerzte vom ständigen Umschauen, und seine Augen, mit denen er den Nebel zu durchdringen suchte, brannten.

Ding! Ding! Ding! Der Wachposten schien müde zu werden. Er mußte schon sehr nahe sein.

Während Vivian, über seine Riemen gebeugt, auf das nächste Bimmeln wartete, passierten zwei Dinge gleichzeitig: Die Glocke schlug fast über seinem Kopf an, und noch bevor ihr Läuten verklungen war, sah er den undeutlichen Schatten eines Yachthecks mit dem Emblem der Reiseagentur. Schweigend betrachtete er es, wagte kaum zu atmen und überlegte, was als nächstes getan werden mußte.

Es war eine ziemlich große Motoryacht, ungefähr fünf Fuß länger als die *Seafox*. Sie verfügte über zwei sich verjüngende Masten, an denen Stützsegel gefahren werden konnten. Ihr dunkelblauer Rumpf glänzte matt, am Heck stand groß der Name *Grouville*.

Während Vivian wartete, löste sich eine Gestalt aus dem Schatten des Deckshauses. Wieder klang das Geläut über das Wasser. Vivian erkannte, daß der Mann auf seinem Posten bleiben würde, um regelmäßig Nebelsignale zu geben. Es gab keine andere Möglichkeit, er mußte wieder schwimmen. Jedes noch so leise Kratzen des Beiboots an der Bordwand hätte sofort die Besatzung alarmiert. Er mußte das Dingi treiben lassen.

Fast geräuschlos glitt er ins Wasser. Auf dem Rücken liegend sah er besorgt zu, wie das Beiboot aus seinem Gesichtsfeld verschwand.

Mit ein paar vorsichtigen Schwimmstößen gelangte er unter das ausladende Heck der *Grouville*, seine Knie stießen an den mit Muscheln bewachsenen Wasserpaß. Sein Fuß ertastete einen herausragenden Propeller, und sofort schlug die Angst über ihm wie eine Welle zusammen. Rasch glitt er zur Mitte, dort befanden sich drei rechteckige Fenster, aus denen helles Licht flutete. Seine Finger fanden ein vorstehendes Süll, mit beiden Händen zog er sich aus dem Wasser in die Höhe, bis er über den Messingrahmen ins Boot blicken konnte.

Zuerst konnte er nichts erkennen. Das Glas war von Salz und Ruß verschmiert, aber als er länger hindurchspähte, die Rippen gegen die kahlen Stahlplatten gedrückt, entdeckte er einen Mann, der drinnen schnell hin und her ging. Er schluckte, denn ´s war Mason. Erregt sprach er mit jemandem, der auf Vivians Seite des Boots sitzen mußte, denn er konnte ihn nicht sehen, hörte nur bruchstückweise Masons hohe Stimme durch das dicke, gehärtete Glas.

»Wie konnte er entkommen? Das wüßte ich zu gern.« Dann später: »Wenn alles so wasserdicht ist, warum sitzen wir dann hier noch untätig herum?«

Vivian zog eine Grimasse. Seine Finger und Arme schmerzten, aber noch hielt er durch. Sie mußten aus dem Radio von seinem Ausbruch erfahren haben. Einmal blickte Mason genau zu seinem Fenster herüber, und Vivian erstarrte, aber dann setzte er seine Wanderschaft ohne Unterbrechung fort. Also blieb er, wo er war. Der Ebbstrom riß an seinen Hüften.

Mason nahm eine Karaffe und füllte zwei Gläser. War der andere Mann Lang? Bei dem Gedanken strömte eine Welle von Wut und Haß durch Vivians Körper, daß er beinahe den Halt verloren hätte. Er wollte sich gerade wieder ins Wasser gleiten lassen, da erschien ein Arm mit dem zweiten Glas in seinem Blickfeld. Es dauerte nur eine Sekunde, aber Vivian erkannte diese Uhr, diesen Ring. Noch lange, nachdem sich Lang wieder zurückgelehnt hatte, starrte Vivian in den Salon, die Augen eiskalt vor Haß.

Fast war es danach eine Erleichterung, sich wieder der Umarmung der See hinzugeben. An der glatten Bordwand entlang schwamm er weiter zur Ankerkette und zog sich Hand über Hand vor dem steilen Steven in die Höhe. Oben rollte er sich atemlos über die Verschanzung an Deck und duckte sich hinter die Ankerwinsch. Es dauerte einige Zeit, bis er begriff, daß er wirklich an Bord war. Die Glocke bimmelte wieder.

Vivian bückte sich und zählte die Sekunden bis zum nächsten Läuten. Beim ersten Schlag kroch er dann über Deck, und als die Glocke schwieg, legte er sich hin und lauschte. Sein Herz pochte so laut, daß er meinte, der andere müsse es hören. Ein Zündholz wurde angerissen. Vorsichtig hob Vivian den Kopf und sah Coopers Gesicht mit einer Zigarette im Mund. Er stand auf der anderen Seite des Ruderhauses, und sein Anblick ließ Vivian die Fäuste ballen.

Er konzentrierte sich auf das beleuchtete Skylight, das direkt über dem Salon lag, und schob sich weiter vor, bis seine Nase buchstäblich an das Glas stieß. Beim nächsten Läuten warf er einen schnellen Blick hinein. Jetzt sprach Lang, seine Stimme klang entspannt.

». . . Und das war's dann«, erklärte er. »Aber es hat Jahre gekostet, die Organisation aufzubauen und die anderen auszubooten.« Er hob die Schultern. »Es wäre doch verrückt, wenn wir uns jetzt das Geschäft vermasseln ließen.«

Die Stimme einer Frau ließ Vivian zusammenzucken. Er drehte den Kopf und entdeckte am anderen Ende des Salons, hingekauert auf eine große Sitzbank, Janice Mason. Ihre Augen waren wie vom Weinen gerötet, sie sah sehr mitgenommen aus. Ihrer schleppenden Sprechweise nach hatte sie dem Alkohol reichlich zugesprochen.

»Warum hast du's getan?« Sie blickte Lang verzweifelt an. »Du hast mir nicht gesagt, daß du ihn umbringen willst.« Sie schniefte laut und blickte in ihr leeres Glas. »Er war so ein netter alter Gentleman«, fügte sie mehr für sich selber hinzu.

»Aber wir sitzen doch alle im selben Boot.« Lang schien eher belustigt zu sein. »Auch du, Janice!«

»Ich . . .«

»Auch du, vergiß das nicht. Du hast Karens Wagen vor das Haus gefahren und ordentlich auf die Hupe gedrückt. Das ist Beihilfe, würde ich sagen. O ja, meine Liebe, wir stecken alle zusammen drin.«

»Du Schwein.« Das sagte sie ohne große Emotion. »Ich war eben eine Närrin.«

»Quatsch! Wir kommen auf jeden Fall heil aus der Sache raus. Was spielt es schon für eine Rolle, daß er entkommen ist? Seine Flucht macht unsere Version nur glaubwürdiger. Er weiß nicht, wo wir sind, also was soll es?«

Mason füllte die Gläser neu. Er schien sich beruhigt zu haben. »Wenn du's sagst, Felix? Alles klingt so einfach, wenn du es erklärst.«

»Oh, ich muß zugeben, alter Junge, daß auch ich ein paar ungemütliche Momente hatte! Als Karen in Ramsgate auf mich zugerannt kam, da hätte ich mich fast verschluckt, verdammt noch mal! Ich hatte die Yacht gerade zum Ablegen klargemacht, da stolperte sie fast über mich. Hätte nie gedacht, daß Morrie den Job so versauen würde. Gut, daß wir ihn los sind«, fügte er gefühllos hinzu.

»Ihn – und wen noch?« Die Frauenstimme wurde zunehmend undeutlicher.

Lang ignorierte die Unterbrechung. »Und dann war da noch dies, alter Junge . . .« Er holte etwas aus der Tasche seines Blazers. »Dieser Papierfetzen!« Gereizt glättete er ihn auf der Tischplatte direkt unter Vivians Augen, der sofort Jensens letzte verzweifelte Nachricht erkannte, die Skizze seines Maschinenraums. »Ich fand ihn auf Vivians Boot, als ich ein bißchen herumstöberte. Dank seiner Hilfe stieß ich dann auch auf die restlichen Platten.« Er kicherte. »Das war wirklich Glück, alter Junge. Andernfalls wäre ich vielleicht auf die Idee gekommen, daß du mich aufs Kreuz legen willst.« Lang lachte wie über einen tollen Witz.

Mason blickte nachdenklich auf das Papier. »Was bedeutet die skizzierte Katze?«

»Verstehst du denn nicht, alter Junge? Der alte Jensen war kein Narr, das muß man ihm lassen.« Lang schüttete seinen Drink hinunter. »Erinnerst du dich nicht an die Cartoons mit Felix dem Kater? Er wollte einen Hinweis auf seinen Mörder geben.«

Mit eiskaltem Schreck wurde Vivian klar, daß er den wichtigsten Teil von Jensens Nachricht übersehen hatte. Ohne den Blick von der kleinen Gruppe unten zu lösen, zog er die Automatik aus dem Gürtel, legte sie auf dem Süll an und zielte auf Langs Bauch. Mordlust stand in seinen Augen, als er den Finger am Abzug krümmte.

Hätte jemand um Langs Leben gebettelt, wären seine Worte bei Vivian auf taube Ohren gestoßen, aber es war Lang selber, der Vivian am Abdrücken hinderte.

»Ich sollte wohl mal nach unserer kleinen Karen sehen«, sagte er. »Meine Partner scheinen in dieser Beziehung nicht sehr zuverlässig zu sein.«

Vor Vivians Augen legte sich ein dunkler Schleier, vor Erleichterung lehnte er die Stirn erschöpft auf das hölzerne Süll. Sie lebte! Karen war am Leben! Die Worte brannten in seinem Gehirn, wild blickte er sich um. Karen war also an Bord, war ganz in seiner Nähe.

»Cooper!« röhrte Lang durch den Spalt des Skylights.

Cooper trampelte den Niedergang hinunter, als nächstes hörte Vivian seine Stimme aus dem Salon.

»Muß ich denn dauernd diese verdammte Glocke läuten, Boß?« jaulte er. »Mir platzt gleich der Kopf.«

»Und ich schlage ihn dir gleich ein, wenn du nicht tust, was ich sage«, drohte Lang. »Hier, der Schlüssel! Sieh nach, wie's unserer kleinen Dänin geht.«

»Danke, Boß, danke!« Cooper schmatzte laut vor Vergnügen. »Das wird mir Spaß machen!«

Vivian packte die Pistole fester. Dazu kommt es nicht, dafür werde ich sorgen, dachte er. Er schlüpfte ins Ruderhaus und wartete zusammengekauert am Kopf der Treppe.

Cooper trat aus dem Salon, ein wölfisches Grinsen im Gesicht, und eilte durch den engen Flur zwischen den Kabinen. Vor der letzten Tür blieb er stehen. Der Riegel schnappte zurück, Cooper richtete mit geübter Bewegung seine Krawatte und sah deshalb nicht, daß Vivian wie ein Schatten am Fuß des Niedergangs stand. Dann stieß er die Tür auf.

»Hallo, da bin ich!« Cooper lehnte sich gegen den Türrahmen und grinste das Mädchen an, das zusammengekauert auf einem Bierkasten saß. Die Kabine diente offensichtlich als Lagerraum. Alle Details in sich aufnehmend, schob Vivian sich vorsichtig nach vorne. Er hielt den Atem an, als er Karens Gesicht sah; es war eine Maske der Angst.

»Du und ich, wir halten jetzt ein nettes kleines Schäferstündchen«, fuhr Cooper fort.

»Das werden wir«, flüsterte ihm Vivian ins Ohr. Der andere Mann reagierte, als ob eine Kanone neben ihm abgefeuert worden wäre.

Sprachlos fuhr er herum, die Augen quollen ihm aus den Höhlen. Sein Adamsapfel hüpfte über dem Krawattenknoten grotesk auf und ab.

Vivian drückte Cooper in den Gang zurück und packte ihn fest an seinem hellblauen Anzug. Hinter sich hörte er Karen schluchzen, heiße Wut stieg in ihm auf. Cooper gab ein unverständliches Gurgeln von sich, als Vivian ihn mit dem Kolben der Pistole zwischen die Augen traf. Er ließ den Bewußtlosen zu Boden gleiten, dann trat er in die Kabine. Wie blind griff er nach Karen, die sich in seine Arme warf.

Lange standen sie umschlungen da. Dann stammelte sie: »Philip, sie sind alle hier! Es war Felix . . .«

»Ich weiß«, murmelte er, »ich weiß jetzt alles.« Eine Warnung durchzuckte sein Hirn. »Karen, wir müssen abhauen, solange sie noch vorn beschäftigt sind.«

Er befestigte seinen Kompaß an ihrem schmalen Handgelenk, während sie ihn verwundert anstarrte. »Wir werden schwimmen müssen. Halte dich genau nach Süden, dann bist du in ein paar Minuten am Strand.« Besorgt studierte er ihr Gesicht. »Wirst du es schaffen?«

Sie zog ihre rote Jacke aus. »Keine Angst, das schaffe ich schon!«

»Also los.« Am Ellenbogen führte er sie um Coopers schlaffen Körper herum zum Niedergang.

Aus dem Salon war Stimmengewirr zu vernehmen, ein Stuhl wurde polternd zurückgeschoben. »Was zum Teufel ist denn los, Cooper?« Langs Stimme war so nahe, daß Karen auf der untersten Stufe stehenblieb.

»Schnell!« zischte Vivian. »Über Bord!«

Sie stieß die schmale Doppeltür auf, blendend heller Sonnenschein fiel auf sie. Vivian stolperte ihr verwundert nach und blinzelte in das grelle Licht, das auf den Wellen blitzte und funkelte. Wie eine schlafende Möwe lag *Seafox* eine knappe Meile entfernt da. Der Nebel war verschwunden, kein Hauch davon zurückgeblieben.

Unter ihnen wurde eine Tür zugeschlagen, gleich darauf rannte jemand fluchend durch den Flur.

»Sie ist weg! Schnell an Deck, du Narr!« Langs Stimme war wie eine Peitsche.

Verzweifelt blickte sich Vivian nach einer Fluchtmöglichkeit um. Der goldene Sand des Strandes glitzerte in der Sonne, noch war er von Urlaubern verlassen. Er hob die Pistole und zielte auf den Niedergang.

»Schnell, Karen, spring!«

»Und du, Philip, was wird aus dir?« Ihre großen Augen blickten ihn fragend an.

»Ich komme nach. Ich muß dir Deckung geben, sonst holen sie uns ein, bevor wir den halben Weg zum Land zurückgelegt haben.« Er schob sie von sich weg. »Bitte, Liebling, spring!«

Leichtfüßig rannte sie zur Reling und öffnete dabei ihren Rock, der an Deck flatterte. Aus dem Augenwinkel sah er ihre langen braunen Beine, ihre blonde Mähne wehte im Wind. Einen Augenblick wartete sie, schön wie eine antike Statue, an der Reling, dann war sie verschwunden. Beim Eintauchen verursachte sie kaum ein Geräusch, schnell schwamm sie aufs Ufer zu. Er blickte ihr einen Moment lang nach, ihr Haar bildete eine goldene Wolke auf dem Wasser.

»Sie ist über Bord gesprungen!«

Masons Gesicht erschien im Niedergang, geblendet von dem hellen Licht. Als sein Blick auf Vivian fiel, verlor er vor Schreck das Gleichgewicht und fiel den Niedergang hinunter. Hysterisch rief er unten nach Lang.

»Bleibt, wo ihr seid!« brüllte Vivian. »Ich habe eine Kanone und werde schießen, wenn's sein muß. Wir wollen hier alle schön friedlich auf die Polizei warten!«

Unter Deck erklang Gemurmel, dann herrschte Stille. Vivian wartete. Er hätte sich gern nach Karen umgesehen, traute sich aber nicht, den Blick vom Niedergang zu wenden.

»So hör' doch mal, alter Junge!« Langs Stimme klang honigsüß. »Wir wollen uns doch deshalb nicht entzweien!«

»Vergiß es, Felix. Spar dir die Worte!« Vivians Stimme klang kühl, aber das Blut rann ihm wie Feuer durch die Adern.

»Ich komme jetzt an Deck, alter Junge. An deiner Stelle würde ich mich nicht so töricht benehmen. Vielleicht einigen wir uns auf einen kleinen Handel?«

Die Stufen quietschten, Vivian zielte auf die Oberkante des Sülls. »Ich warne dich, Felix!«

In diesem Moment hörte er ein Kratzen und wirbelte herum. Verflucht, er hatte das Skylight vergessen! Masons Gesicht leuchtete hell durch die kleine Glasscheibe, seine Augen waren vor Angst weit aufgerissen.

Der Schuß dröhnte, das Skylight zerfiel in Holz- und Glassplitter. Masons Gesicht verschwand mit einem Schmerzensschrei.

Vivian wandte sich wieder dem Niedergang zu, aber es war zu spät. Die Welt schien mit einem grellen Blitz vor seinen Augen zu explodieren. Ein harter Schlag traf seine rechte Schulter. Benommen sah er seine Pistole nutzlos über Deck schliddern. Auf den Planken zeigten sich plötzlich dicke blutrote Tropfen; hilflos sah er zu, wie es ständig mehr wurden.

Dann kam der Schmerz, brach seinen Widerstand und ließ ihn taumeln. Er fiel schwer auf die Knie, das warme Blut lief an seinem Arm herunter. Lang beobachtete ihn mit zusammengekniffenen Augen, die Pistole in seiner Hand rauchte noch. »Das war's dann wohl«, meinte er langsam. Ungeduldig wandte er sich zum Ruderhaus um. »Komm her, Mason! Schnell, wir müssen verschwinden!‹

Undeutlich sah Vivian Mason heranhumpeln. Sein Gesicht war aschfahl, von seinem Mund troff Speichel. »Was machen wir jetzt?‹ plapperte er. »Damit ist alles aus!«

»Halt den Mund, du Narr! Wir haben die Platten und genug Kies im Ausland für ein schönes Leben. Willst du das alles wegwerfen?« Drohend blickte Lang den Wimmernden an.

»Ich halte das nicht durch.« In Masons Augen glitzerten tatsächlich Tränen, er faltete bittend die Hände. »Ja, Felix, laß uns verschwinden, aber zwinge mich nicht, mit dir weiterzumachen!«

Durch das Pochen in seinen Ohren hörte Vivian leichte Schritte an Deck und Janices Entsetzensschrei. Deutlich hob sich ihr Gesicht vor dem klaren blauen Himmel ab, in ihren Augen tanzten die Irrlichter der Panik. Hinter ihr erklang Langs gedehnte Frage: »Ich nehme an, das gilt auch für dich?«

Sie nickte dumpf, vor Angst wirkte ihr Gesicht uralt.

»Na gut!« Lang hatte sich entschieden. »Bring die Druckplatten hoch, aber plötzlich!«

»Was hast du vor?« Mason zögerte am Niedergang.

»Ich verschwinde«, antwortete Lang ruhig, »und nehme den ganzen Schrott mit an Land.« Mit der Pistole machte er eine herrische Bewegung. »Janice, laß das Dingi zu Wasser! Ich helfe dir.«

Vivian stöhnte leise, als die anderen aus seinem Gesichtsfeld verschwanden. Er versuchte klar zu denken, doch alle Kraft schien aus ihm herauszuströmen. Aber Karen war in Sicherheit. Was auch passieren mochte, sie war in Sicherheit. Niemand konnte ihr mehr schaden.

Das Deck erzitterte, als Mason atemlos zwei große Koffer auf die Planken knallte. Daneben deponierte er das wasserdichte Päckchen mit den Platten. An der Reling war inzwischen der Festmacher des Dingis befestigt.

Lang erschien wieder, auf seinem Gesicht spiegelte sich unterdrückte Erregung, man sah ihm an, daß er einen verrückten Plan ausheckte. Nur mühsam behielt er seine Stimme unter Kontrolle.

»Das ist dann also der Abschied?« Er lachte gepreßt. »Ich setze jetzt zur *Seafox* über, mich wird man nicht kriegen!« Seine Augen funkelten. »Nach unten mit euch beiden!«

Er unterband ihren Protest mit einem Wink seiner Pistole, dann hörte Vivian unten eine Tür zuschlagen. Lang hatte das Trio wohl in einer Kabine eingeschlossen.

Ein Schatten fiel über Vivian, mühsam hob er den Kopf.

»Adieu, alter Junge! Schade, daß es so enden muß!« Immer noch schüttelte ihn unterdrücktes Gelächter.

Er ist verrückt, total verrückt, dachte Vivian. Er sah, daß Lang das Päckchen aufriß und sich die glänzenden Platten in die Taschen steckte. Fröhlich summte er vor sich hin. Er schien die Rufe von unten nicht zu hören, auch nicht das Trommeln an der verschlossenen Tür. Ärgerlich musterte er zwei kleine Druckplatten.

»Verdammt, die kriege ich nicht mehr unter. Na, es ist zum Glück nur ein kleiner Wert.« Sorgfältig legte er sie aufs Deck, dann ließ er die Koffer ins Dingi hinab. Nach einem letzten prüfenden Rundblick kam er zu Vivian zurück.

»Auf, auf, alter Junge, du gehst besser in den Salon.«

Vivian wehrte sich schwach und mußte einen Schmerzensschrei unterdrücken, als Lang ihn den Niedergang hinunterstieß und im Salon zu Boden warf. Dann steckte er den Schlüssel von außen ins Schloß. Vivian rollte sich stöhnend auf die Seite und sah Langs Zähne weiß blitzen. »Ach, ich sollte wohl noch erwähnen, daß ich die Seeventile geöffnet habe.« Damit schlug er die Tür zu und sperrte ab.

Sekunden später dröhnten seine Schritte übers Deck, dann quietschten Fender. Das Dingi legte ab. Plötzlich herrschte Stille an Bord, auch die anderen weiter achtern schienen zu lauschen.

Die Yacht bewegte sich schon schwerfällig im Wasser und reagierte nur träge, wenn sie von einer Welle angehoben wurde. Sie würde schnell auf Tiefe gehen.

Vivian verfluchte seine Schmerzen. Sollte es Lang gelingen, die *Seafox* zu erreichen, mochte seine Flucht glücken. Das Schauspiel der sinkenden Yacht würde alle Augen an Land auf sich ziehen.

Zentimeter um Zentimeter zog sich Vivian über den dicken Teppich, nur auf seine linke Hand gestützt. Einmal fiel er auf die Seite, und etwas Hartes drückte dabei gegen seine Rippen. Keuchend griff er in sein Hemd: die Signalpistole! Vielleicht war es noch nicht zu spät!

Er zog sie heraus und robbte zur Sitzbank unter dem großen Fenster. Schweißüberströmt zog er sich daran hoch und schlug blindwütig auf das dicke Glas ein. Scherben flogen ihm ins Gesicht, dann spürte er plötzlich das warme Sonnenlicht auf der Haut. Das Wasser klatschte nur einen halben Meter unter ihm gegen den Rumpf. Er steckte den Arm hinaus, ohne auf die scharfen Glassplitter zu achten, richtete den Lauf gen Himmel und zog den Abzug durch. Ein lautes Klicken ertönte, sonst nichts.

Lang hatte aufgehört zu rudern und fummelte in seiner Tasche. Glänzender Stahl blitzte auf.

Als sei sie ihm zu schwer, ließ Vivian den Arm mit der nutzlosen Waffe aus dem Fenster sinken. Merkwürdig, wie sich alles gegen ihn verschworen hatte. Am Ende ließ ihn sogar eine Notrakete im Stich.

Lang im Beiboot zielte sorgfältig, seine Augen verengten sich zu Schlitzen. In diesem Moment erwachte die Waffe in Vivians kraftloser Hand zum Leben. Ein Zischen erklang, dann folgte ein dumpfer Knall; die leere Signalpistole fiel ins Wasser.

Vor dem grellen Feuerball, der sich auf dem stillen Wasser gebildet hatte, kniff Vivian die Augen zu. die Hitze versengte seine Wange. Die platzende Rakete hatte das Dingi in ein feuriges Inferno verwandelt.

Vivian hörte Lang schreien, dann sah er den schweren Mann mit brennenden Beinen kopfüber ins Wasser springen. Seine plumpen Hände schlugen wild aufs Wasser; sein nach oben gerichtetes Gesicht war verzerrt vor Angst.

Seltsam unbeteiligt beobachtete Vivian das Geschehen. Mit einem letzten schrillen Aufschrei versank das Gesicht im Wasser, die Umrisse des Körpers verschwammen und verschwanden schließlich völlig.

Vivian wußte, Lang war an seiner Gier gestorben, denn die Bleiplatten hatten ihn auf den Grund gezogen. Sie, für deren Besitz er gemordet hatte.

Vivian rutschte vom Fenster herunter und fiel auf die Polsterbank. Die Schlacht war gewonnen, er kämpfte nicht mehr gegen die Finsternis an, die ihn wie ein dicker schwarzer Mantel einhüllte. So hörte er auch nicht mehr, daß ein großes Schnellboot längsseits schor und seine Ladung von blau Uniformierten aufs Deck der sinkenden Yacht spuckte.

Epilog

Nur wenige Menschen trotzten dem kalten Westwind, der Papierfetzen durch die Straßen trieb und die Möwen auf ihren Dalben ärgerlich kreischen ließ. Die Fenster der Hotels starrten blind auf die weißen Kämme der Seen, die über die Bucht stürmten. Überall herrschte Leere und Verlassenheit.

Die Boote im Hafen von Torquay drängten sich an ihren Murings zusammen, als gäbe ihnen die Nähe der Nachbarn Geborgenheit. Der Seegang ließ ihre Masten unregelmäßig kreisen und stampfen. Überall waren die Winterpersenninge aufgezogen, alles Überflüssige war weggestaut. Die Flotte schien geduldig die nächste Saison zu erwarten, die noch so unendlich weit entfernt war.

Nur ein Boot im Hafen sah belebt aus und im Einklang mit dieser grauen Umgebung. Es lag an der Innenmole, wo es leise vor sich hin rollte, Wind und Wetter verächtlich ignorierend. Der alte Bootsmann warf einen letzten prüfenden Blick darauf, dann nickte er zufrieden. Eine dicke, schwarz-weiße Katze rieb sich leise schnurrend an seinen Beinen.

»Du bist auch froh, daß er wiederkommt, wie?« brummte er. »Es wird nicht mehr lange dauern.«

Der Bootsmann spähte mit wäßrigen Augen die Pier entlang, wo sich ein Taxi in flotter Fahrt näherte. Er betrachtete das Paar mit Wohlgefallen, das die Steintreppe hinunterstieg.

Vivian war blaß und trug den rechten Arm in einer Schlinge. Aber sie! Bewundernd schüttelte er den Kopf. Dann gab er dem Kater einen Klaps und schlurfte davon, die Schultern gegen den Wind gestemmt.

Leise pfiff er vor sich hin. Er würde sie später besuchen, sobald sie sich eingerichtet hatten.

Schließlich, dachte er lächelnd, waren sie verliebt und sich selbst genug.

Maritimes im Ullstein Buch

Bill Beavis
Anker mittschiffs! (20722)

Ernle Bradford
Großkampfschiffe (22349)

Dieter Bromund
Kompaßkurs Mord! (22137)

Fritz Brustat-Naval
Kaperfahrt zu
fernen Meeren (20637)
Die Kap-Hoorn-Saga (20831)
Im Wind der Ozeane (20949)
Windjammer auf großer
Fahrt (22030)
Um Kopf und Kragen
(22241)

L.-G. Buchheim
Das Segelschiff (22096)

Alexander Enfield
Kapitänsgarn (20961)

Gerd Engel
Florida-Transfer (22015)
Münchhausen im Ölzeug
(22138)
Einmal Nordsee linksherum
(22286)

Wilfried Erdmann
Der blaue Traum (20844)

Horst Falliner
Brauchen Doktor
an Bord! (20627)
Ganz oben auf dem
Sonnendeck (20925)

Gorch Fock
Seefahrt ist not! (20728)

Cecil Scott Forester
11 Romane um
Horatio Hornblower

Rollo Gebhard
Seefieber (20597)
Ein Mann und sein Boot
(22055)

**Rollo Gebhard/
Angelika Zilcher**
Mit Rollo
um die Welt (20526)

Kurt Gerdau
Keiner singt ihre Lieder
(20912)
La Paloma, oje! (22194)

Horst Haftmann
Oft spuckt mir Neptun Gischt
aufs Deck (20206)
Mit Neptun
auf du und du (20535)

Heinrich Hauser
Pamir – Die letzten
Segelschiffe (20492)

Alexander Kent
18 marinehistorische
Romane um Richard
Bolitho und 22 moderne
Seekriegsromane

Wolfgang J. Krauss
Seewind (20282)
Seetang (20308)
Weite See (20416)
Kielwasser (20518)
Ihr Hafen ist die See (20540)
Nebel vor
Jan Mayen (20579)
Wider den Wind
und die Wellen (20708)
Von der Sucht
des Segelns (20808)

Klaus-P. Kurz
Westwärts wie die Wolken
(22111)

Sam Llewellyn
Laß das Riff ihn töten (22067)
Ein Leichentuch aus Gischt
(22230)

Bernard Moitessier
Kap Hoorn –
der logische Weg (20325)

Wolfram zu Mondfeld
Das Piratenkochbuch
(20869)

Nicholas Monsarrat
Der ewige Seemann,
Bd. 1 (20227)
Der ewige Seemann,
Bd. 2 (20299)

C. N. Parkinson
Horatio Hornblower (22207)

Dudley Pope
Leutnant Ramage (22268)
Die Trommel schlug zum
Streite (22308)

Herbert Ruland
Eispatrouille (22164)
Seemeilensteine (22319)

Hank Searls
Über Bord (20658)

Antony Trew
Regattafieber (20776)

Karl Vettermann
Hollingers Lagune (22363)

Rudolf Wagner
Weit, weit voraus liegt
Antigua (22390)

James Dillon White
5 Romane um Roger Kelso

Richard Woodman
Die Augen der Flotte (20531)
Kurier zum
Kap der Stürme (20585)
Die Mörserflottille (20666)
Der Mann
unterm Floß (20881)
In fernen Gewässern (22124)
Der falsche Lotse (22375)